Luz Paz Agras

EXPLORAR LOS LÍMITES
Arte y Arquitectura en las exposiciones de las Vanguardias

Paz Agras, Luz

Explorar los límites : arte y arquitectura en las exposiciones de las vanguardias.
- 1a ed. - Ciudad Autónoma de Buenos Aires : Diseño, 2015.
142 p. : il. ; 21×15 cm. - (Textos de arquitectura y diseño / Marcelo Camerlo)

ISBN 978-987-3607-76-9

1. Arte. 2. Arquitectura. I. Título
CDD 720

Textos de Arquitectura y Diseño

Director de la Colección:
Marcelo Camerlo, Arquitecto

Diseño de Tapa:
Liliana Foguelman

Diseño gráfico:
Karina Di Pace

En venta:
LIBRERÍA TÉCNICA CP67
Florida 683 - Local 18 - C1005AAM Buenos Aires - Argentina
Tel: 54 11 4314-6303 - Fax: 4314-7135 - E-mail: cp67@cp67.com - www.cp67.com

FADU - Ciudad Universitaria
Pabellón 3 - Planta Baja - C1428BFA Buenos Aires -Argentina
Tel: 54 11 4786-7244

CMD - Centro Metropolitano de Diseño
Algarrobo 1041 - C1273AEB Buenos Aires - Argentina
Tel: 54 11 4126-2950, int. 3325

Luz Paz Agras

EXPLORAR LOS LÍMITES
Arte y Arquitectura en las exposiciones de las Vanguardias

diseño

EXPLORAR LOS LÍMITES
Arte y Arquitectura en las
exposiciones de las Vanguardias

Índice

Prólogo

Fernando Agrasar

Al integrar al espectador, o, más bien, al acto mismo de mirar como parte de la tarea del museo, el interés se ha trasladado de la cosa experimentada a la experiencia en sí. Ponemos en escena los artefactos, pero lo que es más importante, ponemos en escena el modo en cómo se perciben los artefactos.

Olafur Eliasson, *Verse sintiendo* (2002)

La historiografía de la arquitectura moderna ha fijado una serie de ideas, comúnmente aceptadas. Tres de ellas se revelan especialmente inexactas, desde nuestra contemporaneidad: la primera sería la exaltación de la figura individual, genial y heroica del arquitecto; la segunda consiste en la negación de las experiencias del pasado para la ideación de los nuevos objetos arquitectónicos; y la tercera se refiere a la formidable capacidad de la arquitectura para resolver, por sí sola, cualquier reto funcional, social o técnico. La experiencia y el pensamiento, desde entonces, han puesto en cuestión estas ideas: ya que la arquitectura es, en cualquier caso, un arte colectivo; porque el presente se construye desde lo que conocemos del pasado; y, evidentemente, son necesarias numerosas contribuciones, desde diferentes campos de conocimiento, para dar respuesta a los problemas planteados.

La investigación de Luz Paz, condensada en esta publicación, explora un episodio de la modernidad a través de la reconstrucción de nuestras ideas preconcebidas sobre las excepcionales creaciones del periodo de entreguerras. *Explorar los límites* fija sus objetivos en la compleja relación entre arte de vanguardia y arquitectura moderna, para explicar los procesos por los cuales ambos mundos, estrechamente relacionados, se alimentaron mutuamente.

Hemos creído, a través de numerosas lecturas, que los maestros de la modernidad, en una soledad heroica, dieron forma arquitectónica a los novísimos retos planteados por la industria con sorprendentes fábricas, a los avances médicos con innovadores hospitales, a las nuevas concepciones de la dramaturgia con teatros nunca vistos, o a las artes plásticas de vanguardia con nuevos museos. Sin que dudemos de los excepcionales méritos de aquellos maestros, debemos entender que desde la ciencia y la ingeniería, desde la investigación médica, desde las nuevas propuestas teatrales y cinematográficas, o desde la formidable explosión creativa de las vanguardias, se trabajó conjuntamente con los diseñadores que firmaron los proyectos modernos que dieron nuevas respuestas a estas necesidades. La Fábrica de Turbinas AEG de Behrens en Berlín (1908-10), el sanatorio Zonnestraal de Duiker y Bijvoeten en Hilversum (1919-1940), el proyecto del Teatro Total de Gropius (1927), o el Museo Nacional de la Artes Occidentales en Tokio de Le Corbusier (1955-59), son el resultado de una estrecha colaboración entre la arquitectura y otros mundos de conocimiento y creación. Y esto sucedió con todo el extenso repertorio arquitectónico moderno.

Entre todas las profundas transformaciones que la modernidad introdujo con el inicio del siglo XX, la revolución de las vanguardias fue especialmente trascendente. Aquella revolución cambió drásticamente el objeto artístico y su relación con el espectador. "La deshumanización del arte", teorizada por Ortega y Gasset, explica la intelectualización de los códigos de expresión artística y las nuevas concepciones sobre el espacio perceptivo. Los museos y salas de exposiciones, tal y como eran concebidas hasta entonces, resultaron totalmente ineficaces ante esta nueva situación. "La obra de arte en la época de su reproductibilidad técnica", formulaba Walter Benjamin, señala la crisis de la unicidad de la obra, que antes sólo podía ser admirada en el espacio ceremonial y trascendente del museo. Todas estas profundas alteraciones del arte precisaban de la reformulación del espacio expositivo. A partir de entonces, la obra artística transforma el espacio, reacciona con él y exige del espectador algo más que la simple contemplación estática.

Marcel Duchamp, Frederick Kiesler, El Lisitzky o László Moholy-Nagy, son protagonistas de las vanguardias de la primera mitad del siglo XX, cuyo trabajo en los límites entre la arquitectura y las artes visuales ofrece una experiencia excepcional para entender el proceso por el cual la arquitectura se nutrió para dar respuesta a retos hasta entonces inimaginables. Luz Paz propone explorar, a través de estos cuatro autores, la contribución que realizaron a la arquitectura moderna desde la experimentación, para dar respuesta a un problema nuevo: cómo resolver el ámbito necesario para que los espectadores perciban las obras de vanguardia. Estas experiencias crearon nuevos espacios que alteraron los códigos convencionales de percepción y supusieron un impulso fundamental para la arquitectura moderna.

Los espacios expositivos diseñados para las muestras de arte de vanguardia fueron obras efímeras. Su registro a través de fotografías, testimonios y diversos documentos, casi siempre escasos, es habitualmente referenciado de forma parcial. La bibliografía de referencia no nos ofrece datos completos de aquellas obras para que podamos entender su propuesta espacial de forma objetiva. La autora aborda en esta monografía la tarea de reconstruir gráficamente los espacios expositivos esenciales de los cuatro autores en los que se centra la investigación, utilizando las herramientas propias de su formación como arquitecta. El resultado es el fruto de una paciente búsqueda en numerosos archivos de datos, algunos de ellos inéditos, para reconstruir con fiabilidad aquellos espacios desaparecidos. La determinación precisa de la forma, escala, materiales y color de los montajes expositivos estudiados es una notable contribución, pero en este libro se profundiza además, de forma narrativa, sobre sus logros y trascendencia.

El gabinete de los abstractos de Lissitzky, *La sala del presente* de Moholy-Nagy, *Art of This Century* de Kiesler o *First Papers of Surrealism* de Duchamp, entre otros espacios documentados y analizados, explican dos nuevas categorías espaciales: el *espacio secuencial* y el *espacio continuo*. Aquí radica el que entiendo como el principal interés de este libro: que consiste en documentar una serie de obras insuficientemente conocidas para explicar su aportación espacial al desarrollo de la arquitectura moderna, trascendiendo la especificidad del espacio expositivo, y ofreciendo valiosos resultados. Dicho de otra manera: los montajes expositivos efímeros, creados en el periodo de entreguerras, en una difusa frontera entre el arte y la arquitectura, constituyen un legado esencial que impulsó cualitativamente la experiencia arquitectónica moderna.

El Castelvecchio de Carlo Scarpa en Verona (1959-1973) es deudor del espacio secuencial, de la misma manera que el desaparecido Pabellón Philips, que Le Corbusier y Iannis Xenakis diseñaron para la Exposición Universal de Bruselas de 1958, lo es del *espacio continuo.* La experimentación realizada desde las vanguardias no explica por sí sola estos dos edificios posteriores, pero fue, sin duda, un ingrediente esencial de los mismos. Y de muchas otras obras notables.

Nuestro presente, tras la crisis de los valores modernos, al inicio del último tercio del siglo pasado, sigue ofreciendo un fuerte vínculo con la modernidad, especialmente con todas aquellas experiencias marginadas por su visión más ortodoxa. La casa en Burdeos (1998) o la Biblioteca de Seattle (1999-2004) de Rem Koolhaas exhiben un orgulloso parentesco con las investigaciones del espacio expositivo de El Lissitzky y, sin duda, el MAXXI en Roma de Zaha Hadid (1998-2009) posee fuertes vínculos con la experimentación "Endless" de Kiesler.

La lectura del libro que sostienen en sus manos ofrece una nueva perspectiva para valorar y entender la arquitectura de la modernidad y de nuestro presente. Este arte colaborativo, fruto de numerosas experimentaciones desde los márgenes de la disciplina, y en deuda con los hallazgos del pasado, necesita para su comprensión del estudio de un gran número de estas experimentaciones espaciales. Las que en este libro se documentan y analizan son una importante contribución para la comprensión de la arquitectura de nuestro tiempo.

Fernando Agrasar

Introducción

A lo largo de la historia siempre han existido vínculos entre las distintas disciplinas artísticas. Estudiando un determinado período o estilo, identificamos un ideario común entre las propuestas de pintura, escultura o arquitectura. Los límites entre unas y otras, sin embargo, han ido marcando distintos niveles de relación que van desde compartimentos estancos entre áreas definidas hasta la generación de conceptos más complejos en los que resulta difícil leer con independencia el papel de cada una. Esta es, precisamente, una de las principales aportaciones de los movimientos de Vanguardia de principios del Siglo XX. Movimientos artísticos que nacen de la pintura, como el Suprematismo o el Neoplasticismo, proponen como objetivo último la trasposición de sus ideas al espacio, convirtiendo su desarrollo en un proceso de experimentación que concluye con una propuesta de síntesis en la arquitectura. El propio Walter Gropius, en el manifiesto de la Bauhaus de 1919, sitúa a la arquitectura como estadio final en el que han de confluir todos los procesos artísticos.

El espacio expositivo se convierte en un excelente lugar de oportunidad para el trabajo experimental de estas propuestas. La relación entre objeto artístico y espacio se produce de forma directa y es aquí donde esta interacción y sus consecuencias se pueden testar a través de la experiencia directa del espectador.

Dejando a un lado la pintura mural, que requeriría un planteamiento específico, hasta el S. XIX la colocación de las piezas en la sala de exposición se había basado en un ejercicio de distribución en toda la superficie del muro, rentabilizando esta al máximo. A finales de este siglo, comienza en los Salones Parisinos la preocupación por la manera en cómo se ven las pinturas. Por una parte, los Impresionistas consideran el efecto que los muros tienen en sus piezas, en las que el color es el elemento fundamental y por otra, la intención comercial que subyace en la organización de estas exposiciones hace que la preocupación por mostrar el producto de la mejor manera posible pase a primer plano.

Las Vanguardias de principios del Siglo XX ya consideran el espacio como parte intrínseca al propio objeto artístico. Sin embargo, el planteamiento teórico más explícito que pone en tela de juicio la neutralidad del espacio de exposición tendrá lugar en los años 70. En el ensayo publicado en cuatro artículos en la revista neoyorkina *Artforum*, Brian O'Doherty abre el debate. El título genérico bajo el que se recopilaron, *Dentro del cubo blanco. La ideología del espacio expositivo*, nos contextualiza en el ambiente de las galerías neoyorkinas de los años 70, en las que el *white cube* es el escenario neutral de las piezas minimalistas de la década anterior. O'Doherty desmonta la idea de neutralidad explicando el cubo blanco como una aportación del Movimiento Moderno y que actúa como "un hallazgo comercial, estético y tecnológico".

La herencia del Movimiento Moderno ha situado en un segundo plano cualquier otra aportación al espacio arquitectónico. La historiografía del periodo de entreguerras se ha visto atrapada por la fuerza de las máximas categóricas de sus maestros. Otras propuestas con un carácter más experimental, como los espacios escenográficos o expositivos, han quedado ensombrecidos y relegados a categoría menor. Sin embargo, estos trabajos poseen una serie de características que los dotan de un carácter de mayor libertad del que, habitualmente, la disciplina arquitectónica ha de privarse. Por ejemplo, su carácter temporal y la metodología de aproximación abren la posibilidad de abarcar la totalidad del proceso de proyecto y construcción de una forma más directa que la ejecución de un edificio, cuya complejidad la hace dependiente de muchos agentes y de plazos dilatados en el tiempo. Esta especificidad los convierte en perfectos laboratorios de ideas en los que se puede experimentar con nuevos conceptos espaciales, soluciones constructivas, vínculos con el usuario-espectador, etc.

En la actualidad, la influencia de los espacios de exposición sobre la obra de arte es algo plenamente aceptado y que forma parte tanto del proyecto arquitectónico de espacios museísticos como de la producción del objeto artístico. La interacción entre arte y arquitectura en el espacio de exposición sigue siendo hoy en día lugar de interesantes hallazgos en los que el intento de diferenciar disciplinas deja de tener sentido.

I.

EL ESPACIO SÍNTESIS

El arte toma consciencia del espacio

A principios del S. XX, las Vanguardias sitúan el concepto de *espacio* en primera línea, pero serán los Constructivistas Rusos los que abran un nuevo camino de relación entre el objeto artístico y el espacio de exposición. Una de las primeras propuestas en las que se pudo observar estas nuevas relaciones fue en *0,10. La última exposición futurista*, celebrada en Petrogrado en 1915. Comisariada por Ivan Puni y Xenia Boguslavaskaya y con la participación de catorce artistas, se estructuró en base al protagonismo de las obras de Malevich y Tatlin, representando dos posiciones radicalmente distintas: las ideas Suprematistas de Malevich con el *Cuadrado Negro* y el materialismo cubista de Tatlin con los *Relieves de esquina*. Las salas en las que se colocan las obras no son meros soportes, sino que forman parte de las propuestas. Malevich da forma a una instalación, en la acepción actual del término, con pinturas dispuestas a distintas alturas en dos paredes contiguas y su *Cuadrado Negro* presidiendo la esquina. Tatlin también recurre a la unión de las dos paredes para colocar uno de sus relieves. Estas dos esquinas se convirtieron en las imágenes representativas de la exposición, superando la idea de muro como soporte plano.

Unos años más tarde, en el 1921, en la exposición de *Obmokhu* se exponen una serie de esculturas hechas a base de barras que tensionan el espacio de la sala. Estas piezas muestran la potencialidad espacial de las nuevas técnicas constructivas. Colgadas del techo se pueden ver las construcciones espaciales de la segunda serie de Rodchenko, unas piezas que parten del plano y que se despliegan en el espacio mostrando una transposición directa de dos a tres dimensiones.

A través de la relación entre arte y espacio también se puede explicar la evolución del Neoplasticismo. La arquitectura siempre fue motivo de polémica y protagonista de discusiones entre los miembros de De Stijl. Ya en 1918, Van der Leck hace una dura crítica a la actitud de los arquitectos y de hecho, renuncia a seguir formando parte del grupo cuando se acepta en él a Oud, que lo abandonará a su vez en el año 1921 tras una discusión con Van Doesburg. Rietveld se desvinculará definitivamente en el año 1927, aunque desde el 1923 la relación con el grupo ya era escasa. Hay constancia de intensos desacuerdos entre artistas y arquitectos sobre la primacía de la pintura o la de la arquitectura. De hecho, el propio Van Doesburg comienza defendiendo la arquitectura como lugar de síntesis de las artes, en contra de Mondrian, y posteriormente da prioridad a la pintura sobre el espacio en su proyecto para l'Aubette.

La relación de pintura y escultura con la arquitectura será determinante en el devenir de estos movimientos de principios del siglo pasado. Su anhelo de conquistar el espacio en la exposición lleva, en algunos casos, a planteamientos radicales en los que la pintura invade completamente la sala y da lugar a nuevos conceptos en los que arte y arquitectura se convierten en uno.

El *Espacio Proun* de El Lissitzky

El *Espacio Proun* (*Prounenraum*) fue construido en el año 1923 para la *Gran Exposición de Arte* de Berlín en la sección del Novembergrupp. El Lissitzky disponía de un espacio de 3x3x2.5 metros para sus pinturas *Proun*. Su propuesta no se limita al uso de las paredes como soportes sino que actúa a nivel de espacio usando los recursos formales de las pinturas. La exposición se lleva a cabo en el edificio de la estación de tren Lehrter en Berlín. El Lissitzky está en la ciudad desde el año 1921 en contacto con los círculos artísticos de la Vanguardia alemana y esta propuesta tendrá una gran repercusión en ese entorno.

En el año 1971 se construyó una réplica que forma parte de la colección permanente del Abbemuseum de Eindhoven.

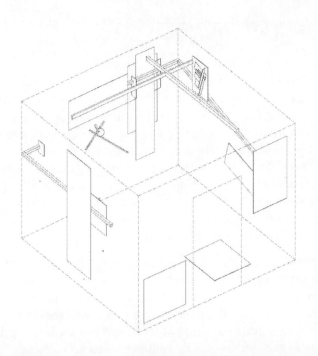

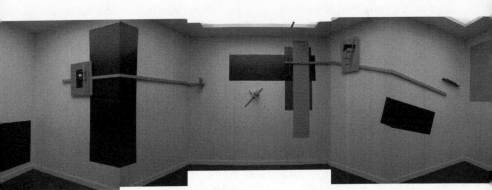

1a/b. *Espacio Proun.*

La *Ciudad en el Espacio* de Kiesler

En el año 1925 se celebra en París la *Exposición Internacional de las Artes Decorativas e Industriales Modernas*, convirtiéndose en escaparate de las propuestas arquitectónicas más novedosas del momento. La Exposición fue especialmente fructífera en propuestas arquitectónicas que hoy nos permiten hacer una lectura de lo más representativo de la época. Algunos de estos proyectos se han convertido en obras paradigmáticas de la historiografía moderna, como el Pabellón Ruso de Mélnikov o el Pabellón de l'Esprit Nouveau de Le Corbusier. Ambos edificios se interpretan hoy como manifiestos de la Arquitectura Constructivista y del Movimiento Moderno, respectivamente.

Las propuestas para espacios expositivos también eran conscientes de su carácter representativo desde los que los países lanzaban su imagen al mundo. Además de las parcelas asignadas para la construcción de edificios temporales, la organización ofrecía a los países invitados espacios en el Grand Palais, en los que se realizaban exposiciones que no tenían cabida en sus pabellones. La sección austríaca, comisariada por Josef Hoffmann, contaba con un pabellón de unos 1000 m², diseñado por varios arquitectos: Oskar Stmad construyó la torre del reloj como pieza representativa, Josef Frank, un café vienés a orillas del Sena y Peter Behrens un pabellón de cristal en el que se mostraban piezas de la Wiener Werkstäte. Además de estos espacios, Austria disponía de una sala de aproximadamente 12×24 m en planta y 9 m de altura en el Grand Palais, para la que Josef Hoffmann encargó a Kiesler la realización de una exposición sobre las técnicas teatrales en su país.

La propuesta expositiva de Kiesler no se reduce a dar una respuesta estricta al encargo, sino que el arquitecto utiliza el montaje para plantear una idea de ciudad apoyada con un manifiesto, *La Ciudad en el Espacio* (*La Cité dans l'Espace*). El proyecto expositivo consiste, por tanto, en una maqueta conceptual de las ideas urbanísticas que Kiesler propone.

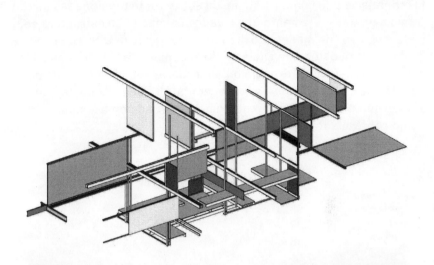

2a/b. *Ciudad en el Espacio.*

El montaje se basa en un sistema de estructuras tensionadas dando forma a un único elemento que invade el espacio. La estructura consiste en barras de madera de distintas secciones que cuelgan de tres de mayor dimensión que anclan todo el conjunto a las paredes de la sala. El dispositivo de exposición se resuelve con la colocación de paneles de distintos colores en horizontal y vertical de manera que actúan como soportes de maquetas, de información o simplemente como conformadores del espacio.

DE LA PINTURA A LA ARQUITECTURA

El manifiesto *Proun*

El *Espacio Proun* de El Lissitzky supone un cambio significativo en la relación entre arte y arquitectura. Materializa de forma literal las pretensiones de los *Proun* en los que El Lissitzky venía trabajando desde el año 1919: "Proun es la estación de tránsito de la pintura a la arquitectura".[1] Los *Proun* se mueven entre la pintura y la arquitectura con un claro propósito de eliminación de límites entre ambas, llegando a una idea de síntesis en el espacio.

El Lissitzky hace explícito su deseo de extensión de estas ideas desde la pintura al espacio y finalmente a los objetos de la vida cotidiana: "Proun empieza con la superficie, avanza en la construcción de un modelo espacial, y sigue hasta la construcción de todos los objetos de la vida común".[2] La propuesta actúa como un espacio de experimentación (*un modelo espacial*) en un proceso de tránsito generando nuevas ideas que pasan de forma directa a propuestas arquitectónicas tanto del autor como de sus coetáneos. Este estado de tránsito queda explícito en el hecho de que, en una versión del texto *Proun* encontrada recientemente en los archivos Inkhouk de Moscú, figura el subtítulo: *De la pintura a la arquitectura*.

El *Espacio Proun* parte de un volumen dado. La forma de representación gráfica es indicativa de su nuevo carácter. Se dibuja en forma de axonometría desplegada en la que aparecen los seis planos que conforman la sala. Estas superficies no deben ser entendidas como soporte de piezas pictóricas, sino como una nueva entidad espacial en conjunto. Puede observarse que el tratamiento de los seis planos responde al objetivo de creación de espacio. Los muros existentes se tratan como límites y referencias en la definición de la sala, pero resultan prescindibles en la comprensión de la propuesta. No se trata, por tanto, de usar la pared como soporte y completar la arquitectura con la pintura, sino que se habla de una nueva entidad.

En el *Merzbau* de Kurt Schwitters, coetáneo al *Espacio Proun*, identificamos este mismo propósito. Se trata de un espacio que su autor va construyendo en su propio taller desde el año 1923 al 1927, transformando las habitaciones originales en una especie de gruta, la *catedral de la miseria erótica*. La conformación de estos espacios se hace a partir de objetos de muy diversas procedencias, pero cuando cada elemento se coloca en el taller pasa a formar parte de este, siendo imposible reconocer su forma original y transformándose en una nueva entidad espacial.

Síntesis en el espacio

A nivel espacial, la *Sala Proun* representa una síntesis de las ideas suprematistas de Malevich y las propuestas de Tatlin. Algunos autores, establecen también una relación directa con las propuestas neoplasticistas. Sin embargo, los espacios de los holandeses recurren a la pintura como complemento a la arquitectura existente, aspecto que El Lissitzky rechaza explícitamente a favor de la generación de un nuevo concepto de espacio. No sería hasta el año 1925 cuando Theo van Doesburg habla del color en la arquitectura moderna como una herramienta para crear una nueva entidad. En este sentido, es bastante significativo que El Lissitzky comience su artículo sobre la *Sala Proun*, publicado en la revista *G*, con la definición de espacio: "Espacio: lo que no se ve por el agujero de la cerradura, lo que se ve con la puerta abierta", aludiendo a que no se trata solamente de algo visual. Años más tarde, critica precisamente este aspecto en la propuesta de Piet Mondrian para el Salón para la Señora B (Ida Bienert), en Dresden, sobre el que comenta: "se trata realmente de una naturaleza muerta de una habitación, para ver a través del agujero de la cerradura".[3]

Las dos corrientes artísticas con mayor proyección en la Rusia de la época, claramente diferenciadas y manifiestamente enfrentadas eran el Suprematismo de Malevich y el Constructivismo de Tatlin.

Ambas propuestas convergen en la búsqueda de una arquitectura que responda a la nueva sociedad, pero desde presupuestos diferentes. El Suprematismo basa sus principios en la búsqueda formal mientras que las propuestas de Tatlin no pueden entenderse sin las cualidades de los materiales y su respuesta social. Las obras de El Lissitzky, sin embargo, se mueven entre ambas corrientes, ejerciendo una labor de síntesis que la *Sala Proun* representa de forma ejemplar en el ámbito que ambas tendencias comparten: sus inicios en la pintura y escultura y su evolución hacia la arquitectura.

El Lissitzky hace explícito su planteamiento de evolución de las artes en la síntesis de estos dos movimientos. En un ensayo publicado en el año 1929 titulado "Interrelaciones entre las artes" habla de la arquitectura como propósito final a través de estas dos concepciones: La primera de ellas dice: "El mundo nos es dado a través de la vista, del color". La segunda: "El mundo nos es dado a través del tacto, de los materiales". Hablando sobre la primera, cita a Malevich como autor y su idea de la pintura como una etapa provisional hacia la arquitectura. Retomando las palabras de Malevich, vemos el paralelismo con el Suprematismo: "la evolución ulterior del suprematismo, en adelante arquitectónico, la confío a los jóvenes arquitectos, en el sentido amplio del término, pues veo la época de un nuevo sistema de arquitectura sólo en él".[4] Sobre la propuesta de Tatlin, la define como el entendimiento del mundo a través de la materia, en la que no es suficiente su contemplación visual, sino "también su exploración táctil".

El Lissitzky fue discípulo de Malevich en Vitebs hasta que entra a formar parte del grupo INKhUK en Moscú, próximo a las ideas de Tatlin. Lissitzky más vinculado en estos años al mundo artístico alemán (viaja a Berlín en el año 1921), se mantiene en un espacio intermedio entre ambas posturas.

Los *Proun* tienen sus orígenes en principios suprematistas, sobre todo, en su relación con el espacio. Malevich basa la colocación de los cuadros en el principio de libre navegación, mediante el cual no se puede hablar de *arriba* y *abajo* en contraste a la perspectiva renacentista. Los primeros *Proun* reflejan esta idea en su propia concepción. Baste comparar la disposición de alguna pintura girada 180 grados en distintas fotografías de la época. El elemento principal del Suprematismo, el *Cuadrado Negro*, creado en el año 1913, representa la base del movimiento. El Lissitzky recoge esta pieza como elemento esencial de la configuración de su *Espacio*. En el artículo publicado en la revista *G* sobre la propuesta, describe el recorrido que el espectador debe seguir para finalizar con la contemplación del cuadrado. "a la salida –¡FIRME!– el cuadrado de abajo, elemento fundamental de toda la configuración". La contundencia de la expresión remarca el significado simbólico que el *Cuadrado Negro* de 79.6×79.6cm de Malévich da a toda la configuración espacial.

Autores suprematistas, como el propio Malevich o Kudriashev en el Teatro de Orenburg, se habían acercado a la creación en el espacio, entendido este como la suma de planos independientes. El estudio de Buchholz en Berlín del año 1922, en el que El Lissitzky se reunió en varias ocasiones con otros artistas, representa un traslado literal de elementos pictóricos a la arquitectura. Se trata del primer espacio abstracto construido en Berlín con vocación de ser una obra de arte. Su autor, Erich Buchholz, muy próximo a la obra de Malévich desde que la conoce en una exposición en Berlín en el año 1922, convierte su taller-vivienda en una obra de arte total. A pesar de la proximidad física y temporal con el *Espacio Proun*, El Lissitzky marca distancia con esta propuesta afirmando que su proyecto no es un espacio para vivir, en oposición a la afirmación de Buchholz sobre su estudio, "una habitación donde se puede vivir".[5]

En la construcción del *Espacio Proun*, los materiales también tienen su lugar: "Proun es la configuración ("gestaltung") creativa (dominación del espacio) por medio de la construcción económica del material revalorizado". Su uso de los materiales le acerca más a las propuestas sensitivas de Tatlin que a las piezas de alarde tecnológico de la sociedad de jóvenes artistas OBMOKhU. Sobre el proyecto de Tatlin para el Monumento a la III Internacional, Lissitzky analiza el valor simbólico de los materiales: "El hierro es fuerte como la voluntad del proletariado. El cristal es claro como su conciencia".[6] Al contrario que las piezas que se podían ver en las exposiciones de OBMOKhU, la aproximación de Tatlin a los materiales es más intuitiva y sensorial que tecnológica. Los vínculos de los relieves de Tatlin con el espacio se aprecian claramente en los *Relieve para esquina*, construidos en 1915 y titulados precisamente, algunos de ellos, *Selección de materiales*.

En el texto inicial sobre el *Proun*, El Lissitzky atribuye al color el papel del material: "Las "gestaltungen" con las que el Proun emprende el ataque contra el espacio están construidas en el material y no en la estética. Este material es en las primeras fases el color". Lo aplica, además a otras propuestas, como la escenografía de la obra *Victoria sobre el Sol*. En el *Espacio Proun*, el ejercicio de síntesis es claro en este aspecto: usa los colores suprematistas (negro, gris, blanco y rojo) y los asimila a materiales.

Reconocimiento del espacio: continuidad, recorrido y diagonal

La *Sala Proun* es algo nuevo. Aunque se basa en la pintura, ya no puede considerarse como tal. Para conseguir el reconocimiento del espacio como un todo, El Lissitzky utiliza una serie de recursos arquitectónicos, como la continuidad formal entre los planos.

En tres de los muros verticales aparecen unas barras de madera que los cosen, mostrando su dependencia. La resolución de las esquinas se convierte en un aspecto clave para entender el conjunto. El planteamiento nos remite de nuevo al recurso usado por Malevich y Tatlin en *0,10. La última exposición futurista*.

Esta idea de continuidad espacial que aporta el *Espacio Proun* en la exposición, puede leerse en otras propuestas arquitectónicas posteriores en las que se usan recursos similares y sobre las que se puede afirmar que este espacio ha sido una influencia directa. Por ejemplo, en el proyecto del propio Lissitzky para una exposición de trabajos tipográficos, no realizada, recoge el mismo recurso de continuidad a través de las barras como elementos que cosen las distintas superficies. La idea se repite en el *Gabinete de los Abstractos* de Hannover. En los croquis previos, las líneas rojas, piezas de madera pintadas, cosen los tres paramentos verticales que se ven. Estas propuestas ya no pertenecen a un espacio de tránsito entre disciplinas, sino que son propiamente espacios arquitectónicos.

Algunas propuestas neoplasticistas posteriores al *Espacio Proun*, también se unen a la estrategia. Por ejemplo, en *Composición-Espacio-Color*, un proyecto de Huszár y Rietveld para la misma exposición colectiva, no realizada, en la que El Lissitzky expondría tipografía, puede apreciarse una novedad en la aplicación del color con respecto a proyectos anteriores. Se trata de la continuidad de superficies entre los distintos planos que configuran el espacio, creando una sensación de cosido y la conformación de un espacio único. Este recurso se usa, no sólo en las esquinas, sino también con el plano del suelo.

Otro de los aspectos que refuerza la idea del espacio es la introducción del movimiento del espectador como imperativo para la percepción de la obra, haciendo presente la cuarta dimensión, el tiempo. Andréi Nakov identifica el espacio suprematista con el *espacio irracional* que El Lissitzky describe en *Arte y pangeometría* como un "sistema de posiciones" donde las distancias no pueden ser medidas y en el que el factor tiempo se sitúa en primer lugar, haciendo referencia a los espacios matemáticos de Minkowski. El *Espacio Proun* parece ir más allá y ser la primera propuesta de El Lissitzky en la que persigue la construcción del *espacio imaginario*, definido en el mismo artículo y vinculado con la capacidad de percepción del movimiento, lo que da origen a una nueva impresión visual y, por tanto, una nueva realidad. El autor cita como ejemplo paradigmático las propuestas cinematográficas de Vikking Eggelin en las que experimenta con la forma a través de la transformación en el tiempo secuencial.

El recorrido del espacio, a través del movimiento del espectador es el factor al que El Lissitzky atribuye la formalización final: "el espacio debe ser organizado de manera que uno se sienta estimulado a recorrerlo".

La diagonal en la primera pared "conduce" (entrecomillado por el propio autor) al espectador hacia el recorrido completo. La diagonal es un elemento que en las artes plásticas suele aparecer vinculada al movimiento. Rudolf Arnheim en su libro *Arte y percepción visual*, le atribuye esta cualidad, como "el medio más elemental y eficaz de obtener una tensión continua". En el Constructivismo Ruso, la diagonal es una referencia directa a lo dinámico. El Pabellón Ruso de Konstantin Mélnikov en la *Exposición de las Artes Decorativas* de París de 1925 se organiza en base a un recorrido del edificio que atraviesa todo el volumen en diagonal y en sentido ascendente, materializado con una escalera con una cubierta en forma de tijera que acentúa la sensación de movimiento. En el proceso de proyecto, Mélnikov trabaja sobre varios croquis que van evolucionando formalmente. En la última versión, el elemento transversal deja ser un recurso más y cobra mayor importancia. Dice el arquitecto: "En esta versión la calle-escalera-diagonal no ha cortado, como una operación geométrica, el pabellón en dos triángulos, sino que, según un proceso geométrico distinto, a la calle diagonal se le adosan unas construcciones, que serán los distintos recintos que exigía el programa [...]".[7]

El trabajo del neoplasticista Piet Zwart refleja la influencia directa del *Espacio Proun* en su propio trabajo, siendo clara en el Stand para una empresa de celuloide en la feria de la industria de Utrecht en el año 1923. Existe una propuesta previa, de dos años antes identificada como *stand genérico*, en la que Zwart representa el espacio en planta y con los planos verticales abatidos, en línea con las propuestas de Huszár de la misma época. Un croquis posterior, sin embargo, representa el proyecto en perspectiva, prestando especial atención a la esquina, en la que se cruzan las baldas de las estanterías del stand, trabando los paramentos. Para la construcción definitiva, los planos reflejan recursos del *Espacio Proun*. Zwart conoce personalmente a El Lissitzky en 1923, en el recorrido que este hace por Holanda contando su trabajo. Algunas de las novedades introducidas en el proyecto y existentes en el espacio de El Lissitzky son: la definición del espacio mediante barras diagonales, sin sujeción lineal a los muros; la aplicación del color a estos elementos y no en los muros, como anteriormente, independizando la definición del nuevo espacio de las paredes; la iluminación cenital,... En proyectos posteriores, Zwart mantiene algunos de estos recursos, acentuando incluso el dinamismo formal.

Los volúmenes suspendidos

En el texto *Futuro y utopía* del año 1929, El Lissitzky habla del *objeto suspendido* como una de las exigencias de la nueva arquitectura. En sus pinturas *Proun*, aparecen habitualmente elementos que flotan en el espacio siguiendo el principio de *libre navegación* de Malevich. En este sentido, resulta curioso el comentario de Alfred H. Barr Jr, director del MOMA de Nueva York, en el catálogo de la exposición de *Cubismo y Arte Abstracto* de 1936, en el que afirma que los *Proun* de El Lissitzky están influidos "obviamente" por el *Gran Vidrio* de Duchamp. Esto ha de ser puesto en cuestión, en primer lugar, por la formación de El Lissitzky con Malévich que permite afirmar que este concepto tiene su origen en el Suprematismo y en segundo lugar, porque Duchamp comienza a trabajar en el *Gran Vidrio* en 1917 (los primeros *Proun* están fechados en 1918) y El Lissitzky no sale de Rusia hasta el año 1921. La obra de Duchamp no se expone hasta el año 1926 en la *Exposición de la Société Anonyme* en el Museo de Brooklyn y fue publicada en su catálogo por primera vez. Es, por tanto, poco probable que existiese antes de los años veinte un intercambio de influencias directas entre estos autores.

En el *Espacio Proun*, los elementos aparecen apoyados en los muros pero la neutralidad de las paredes hace que parezca que las piezas están flotando. El Lissitzky sitúa, además, una esfera y un cubo como volúmenes independientes remarcando esta idea. Aparte del valor simbólico que sea atribuible a estos elementos, a nivel espacial, ambos objetos se colocan estratégicamente para enfatizar su independencia de cualquier soporte horizontal o vertical.

En los *Proun* anteriores a 1923, la esfera no había aparecido como un volumen claro, aunque sí como superficie plana de base para el soporte de otras piezas con carácter arquitectónico. El recurso nos remite a la esfera del estudio de Buchholz, pegada a la pared. En el proyecto de El Lissitzky, se separa del muro y se rodea de barras que invaden libremente el espacio, en contraste a la rígida geometría que impera en todo el conjunto. En cambio, el cubo forma parte de las pinturas *Proun* desde sus inicios. En el *Espacio*, ocupa la posición

3a. *Proun*, 1919.

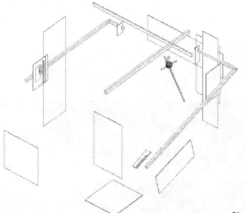

3b. *Espacio Proun*, 1923.

3c. Rascacielos horizontales, 1925.

central de un relieve en el que flota girado con respecto al resto de piezas que se caracterizan por su ortogonalidad.

A excepción de los espacios para exposiciones, las propuestas arquitectónicas de El Lissitzky se quedaron en el papel. De hecho, hasta el año 2007 en el que se le atribuyó la autoría parcial del edificio de la Imprenta Ogonek en Moscú, se creía que no existía ningún edificio construido por este arquitecto. Sin embargo, sus propuestas arquitectónicas tuvieron relevancia a través de las publicaciones de la época, especialmente sus Rascacielos Horizontales. En estas revistas, en las que El Lissitzky controlaba con precisión la información que se publicaba, aparecen imágenes del proyecto con referencias a las pinturas *Proun*, remarcando su origen en estas. Sobre una base circular surge el Rascacielos, pero en este caso, lo importante de la composición son los elementos horizontales, lo que Lissitzky llama "la línea horizontal" (la útil), diferenciándola de "la vertical (el soporte necesario)".[8] Se trata, por tanto, de suspender en el espacio los volúmenes prismáticos horizontales y los soportes aparecen como un elemento funcional y estructural, razones por las que no son prescindibles, aunque según apunta en el texto citado, parecería deseable.

Una idea similar se refleja en un proyecto anterior, de 1920, la Tribuna de Lenin, en la que el soporte vertical inclinado se desmaterializa frente a los volúmenes sólidos que parecen flotar en el espacio y desde los que oraría el líder. Resulta significativo que este proyecto formase parte, junto al *Proun 23 N°6* de la publicación de El Lissitzky y Hans Arp, bajo la denominación genérica de *Proun*, un conjunto de ideas que nacen en la pintura y cuyo objetivo final es la arquitectura.

MANIFIESTO ARQUITECTÓNICO EN LA EXPOSICIÓN

Kiesler y la Arquitectura Neoplasticista

Kiesler había alcanzado notoriedad internacional con la *Exposición Internacional sobre técnicas teatrales* en Viena en 1924. Su relación con el mundo del teatro provenía de la realización de dos escenografías en Berlín, *R.U.R.* y *Emperador Jones* (1923), que destacaron por lo novedoso de las técnicas utilizadas. En la primera, jugaba con la percepción del espectador y en la segunda, los tiempos de la obra se expresaban mediante la completa transformación de la escenografía con un sencillo sistema de plegado de paneles. Kiesler cuenta que fue al terminar la segunda función de *R.U.R.* cuando conoció a Theo van Doesburg, Moholy-Nagy, El Lissitzky, Hans Richter, Kurt Schwitters y Werner Graeff, que se acercaron a felicitarle por la escenografía y que más tarde le presentarían a Mies van der Rohe.

Su relación con Van Doesburg continúa en la *Exposición Internacional del Teatro* de Viena, celebrada en el año 1924. Esta propuesta se aproxima más al constructivismo, pero el montaje de París es una pieza escultórico-arquitectónica neoplasticista. Recuerda a mayor escala a las maquetas conceptuales sobre la *Casa de Artista* que Van Eesteren y Van Doesburg hicieron para la exposición Neoplasticista, celebrada en la Galería L'Effort Moderne en Paris en el año 1923, denominadas las contra-construcciones.

La relación de Kiesler con el grupo de los neoplasticistas se afianza a partir de este trabajo. Algunos de sus proyectos y propuestas de tipografía de su mujer Stefi, que firma bajo el seudónimo de Pietro de Saga, fueron publicados en la revista *De Stijl* como muestra representativa del grupo. A pesar de ello, Kiesler afirma que su único edificio neoplasticista es el Optophon, un teatro multimedia sin actores para construir a orillas del Sena en la misma Exposición del 1925, que finalmente no se realizó por motivos económicos.

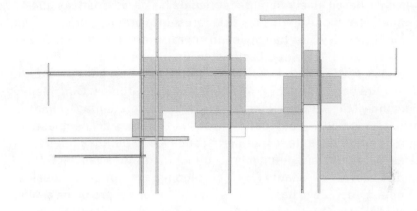

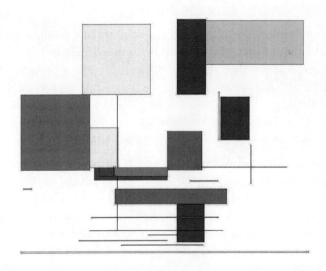

4a/b. *Ciudad en el Espacio*:
planta y alzado.

Los 17 puntos que definen la Arquitectura Neoplasticista, publicados en *L'Architecture Vivante*, en 1925, por Theo Van Doesburg, se convirtieron en el referente teórico de las características que definen el estilo. Algunos historiadores de la arquitectura moderna, como Bruno Zevi, los han aplicado como criterio a partir del cual analizar los edificios neoplasticistas. En un ensayo publicado en el año 1953, *Poética de la Arquitectura Neoplástica*, Zevi hace un estudio de la obra de arquitectos como Le Corbusier, Gropius, Oud, Mendelsohn y Mies van der Rohe, planteándose la pregunta: "¿cuántos arquitectos podrían autodefinirse en los 17 puntos del neoplasticismo?" para finalmente responder: "Todos los 17 puntos fundamentales, caracterizan y definen la arquitectura de Mies van der Rohe que se vuelve por lo tanto [...] el protagonista mayor de los ideales neoplásticos". Zevi, basándose en estos criterios, proclama a Mies como "el" arquitecto neoplasticista, por encima de Oud o Rietveld. Establece, sin embargo, una diferencia clara entre el Mies europeo y el americano, más alejado de estas ideas. No considera, por tanto, los proyectos urbanísticos americanos de Mies y afirma que la ciudad del Neoplasticismo no se ha construido.

Zevi no considera la propuesta de Kiesler para la ciudad, ni su representación espacial en la sala de exposiciones del Grand Palais, a pesar de que se trata de una de las obras más ortodoxamente neoplasticistas de los arquitectos del grupo. La *Ciudad en el Espacio* ocupó un lugar destacado en el número 10/11 de la revista *De Stijl*, publicado en el 1925, junto al manifiesto escrito por su autor y documentación sobre la exposición de Viena del año anterior.

En el periodo de entreguerras en el que la necesidad de sentar las bases para un mundo en cambio movía las propuestas de las Vanguardias, era habitual que la declaración de ideas de los distintos movimientos artísticos se proclamasen en forma de manifiestos, como medios de expresión inmediatos. El espacio expositivo también juega un papel importante en este sentido. Su capacidad para visibilizar ideas le aproxima a la difusión implícita en el manifiesto.

La *Ciudad en el Espacio* se convirtió en la Exposición de París en un manifiesto sobre la ciudad y sobre la arquitectura neoplasticista.

Siguiendo el criterio de análisis de Bruno Zevi, esta es la pieza más ortodoxamente neoplasticista que Kiesler realiza, posicionándose en paralelo al Pabellón de Barcelona de Mies.

La arquitectura síntesis

17 LA ARQUITECTURA COMO SÍNTESIS DE LA CONSTRUCCIÓN PLÁSTICA.- "En la nueva concepción arquitectónica la estructura del edificio es algo subordinado. Solamente por la colaboración de todas las artes plásticas la arquitectura alcanza su plena expresión".[9]

La *Ciudad en el Espacio* integra pintura, escultura y arquitectura, estableciendo una relación directa con el espectador. Parafraseando a Van Doesburg, *metiéndolo dentro* del espacio. Las fotografías originales muestran el espacio vacío, salvo la que se publicó en diferentes periódicos y revistas con Kiesler y otros artistas el día de la inauguración. En este sentido, puede resultar simbólica la presencia de un grupo variado de autores de diversas disciplinas reunidos en el espacio de la *Ciudad*. Entre otros, estaban Kiesler, Theo y Nelly Van Doesburg, Perret, Moholy-Nagy, Léger, Tzara, Autheil,... Por otra parte, en una de las fotografías más publicadas aparece un elemento externo a la estructura principal del espacio, como una especie de taburete en medio de la composición que insinuaría la presencia del espectador en el conjunto.

No puede obviarse su contacto con los miembros de la Secession Vienesa. El Pabellón de la Secession de Olbrich, como aspiración de la construcción de la *Gesamtkunstwerk*, la obra de arte total, refleja en su fachada la unión de las tres disciplinas: la arquitectura, la escultura y la pintura. Para Kiesler, la construcción de un *ambiente* en el que se produzca la integración de todas las artes con el espectador, en el espacio expositivo, o con el usuario en la vivienda, es su aspiración principal.

El punto 6, lo **MONUMENTAL**, está vinculado a esta misma idea. Van Doesburg explica que es un concepto independiente de "lo grande" y "lo pequeño", ligado a la relación entre las artes, siendo la arquitectura síntesis de todas ellas.

La configuración del espacio

Van Doesburg propone en el punto 1 LA FORMA el planteamiento desde cero de la nueva arquitectura, rechazando las formas "a priori" provenientes de estilos antiguos. Según el propio Kiesler: "Tomé la decisión de hacer algo completamente improvisado".[10] Formalmente, recuerda a las contra-construcciones de Van Doesburg de 1923 y la planta nos aproxima a las propuestas de Mies de los años 20, como el proyecto para la Casa de Ladrillo.

En el punto 5 LO INFORME y en el 7 EL VANO, Van Doesburg plantea la construcción con planos que se pueden extender hasta el infinito, en el primero, y el valor activo de la ventana, en el segundo.

La configuración espacial de *La Ciudad en el Espacio* está determinada por planos rectangulares que, colocados en horizontal y vertical a distintas alturas, pero siempre de forma ortogonal entre ellos, van conformando distintos ámbitos para la colocación de las piezas expuestas. No existen recintos cerrados, sino que estos se ven limitados por los planos y los muros de la sala. Las contra-construcciones de Van Doesburg y Van Eesteren son maquetas conceptuales, en las que se muestra el nuevo concepto de espacio. El método de proyectación se basa en la relación entre elementos, no en una búsqueda formal determinada. Anclados en un esqueleto metálico, los paneles metálicos y de vidrio coloreado conforman espacios sin una delimitación estricta de ambientes priorizando la continuidad espacial del conjunto. En ambos proyectos, los paneles se colocan de forma que se anclan a la estructura a través de barras auxiliares, evitando la colocación de un marco que limite las superficies. Esto, junto a la extensión de la superficie de los paneles hasta los límites de la sala, enfatiza su cualidad de planos que se pueden alargar sin restricciones e integrarse en el espacio. Esta idea será recurrente en propuestas posteriores de Kiesler. Los lienzos aparecen flotando en el espacio de *Art of This Century*, como las superficies de color en la *Ciudad*. El Neoplasticismo identifica las pinturas con paneles de color.

En el punto 8 LA PLANTA y en el 9 LA SUBDIVISIÓN, Van Doesburg propone una arquitectura abierta. En la *Ciudad en el Espacio*, los límites están establecidos por la confinación física de la sala, pero el proyecto expositivo se desarrolla con independencia de estos, conformando espacios delimitados, pero abiertos, formando un conjunto espacial. Esto se puede observar en un recorrido por la sala, que permite la contemplación de la totalidad desde todos los puntos de vista.

El rechazo neoplasticista a la SIMETRÍA Y REPETICIÓN, en el punto 13 y al FRONTALISMO en el 14, da forma a la *Ciudad*. Del mismo modo que en las pinturas neoplasticistas, la búsqueda del equilibrio entre las distintas partes es una premisa. Cada parte responde funcionalmente a sus requerimientos expositivos y el equilibrio se encuentra en el conjunto, sin recurrir a formas simétricas o repetición de elementos iguales. A su vez, la exposición no se organiza en función de una vista principal, para ser contemplada desde un punto jerárquicamente dominante, sino que se plantea su percepción en conjunto, y esto obliga al desplazamiento por el espacio, en contraposición a una imagen estática.

Los elementos de la arquitectura

La *Ciudad en el Espacio* responde a dos funciones: como montaje expositivo para mostrar las técnicas teatrales y como manifiesto urbano. Mientras que esta última posee un carácter representativo, más próximo a la idea de maqueta que de espacio arquitectónico, el montaje expositivo se desarrolla respondiendo a los requerimientos de mostrar maquetas y planos de teatros. La estructura espacial actúa como soporte de estos elementos, rentabilizando al máximo su función.

El proyecto expositivo de Mies, la *Sala de Vidrio*, también responde a su función como exposición y al mismo tiempo, como espacio de representación de los valores del material. Los planos que delimitan la sala se construyen con los materiales que son objeto de exposición, logrando una máxima economía: como objeto expositivo y como espacio de experimentación arquitectónica. Kiesler expresa esta idea de economía cuando escribe sobre el Pabellón Barcelona de Mies: "Arquitectura como esta es moderna en el mejor sentido. No necesita adornos plásticos, ni incluso la bella escultura de George Kolbe. La arquitectura moderna, por el significado del ritmo espacial perfecto y habilidosa utilización de la belleza innata de los materiales, hace superflua la escultura".[11]

La *Ciudad* es una arquitectura elemental, en el sentido definido por Van Doesburg en el punto 2 LOS ELEMENTOS y responde a criterios funcionales y económicos también descritos en los puntos 3 y 4 de la Arquitectura Neoplasticista. A través de barras y paneles de madera se ejecuta toda la instalación. Merece especial mención el uso de la luz artificial como elemento constructivo. Mediante un sistema de iluminación puntual integrado en la estructura, se potencia el contraste de los *paneles flotantes* frente a la oscuridad de la sala, constituyendo un *elemento* importante en la configuración del espacio.

El COLOR, punto 15 del texto de Van Doesburg, junto al rechazo a la idea de "ornamento" en el punto 16 DECORACIÓN, encuentran su expresión más literal en la *Ciudad*. No se trata de un complemento en la definición espacial, sino que constituye una parte importante en su definición. Para enfatizar la presencia de las superficies de color flotando en el espacio, las paredes de la sala fueron pintadas de negro, de modo que la percepción de los límites espaciales del conjunto se difuminaba.

Van Doesburg identifica en sus primeros textos el color con la pintura, es decir, con el trabajo hecho por un pintor sobre la arquitectura. El color aparece como complemento de esta, pero con independencia. Los proyectos de espacios interiores de Huszár consisten en la aplicación de color sobre una base arquitectónica previa. Van der Leck reclama su lugar en la arquitectura, pero en manos de los pintores, no de los arquitectos, a los que les corresponde la definición espacial. El propio Van Doesburg colabora con Oud en la

Villa Allegonda (1917) en la aplicación de color sobre su propuesta arquitectónica. Mondrian se muestra especialmente receloso a la integración de la pintura en la arquitectura en el año 1917, cuando le envía una carta a Van Doesburg aclarándole: "Le ruego que no olvide que mis producciones artísticas quieren ser pinturas, es decir, representaciones figurativas autónomas, no partes constituyentes de la arquitectura".[12]

La exposición de Rosemberg, en Paris, en el 1923, supone un cambio en el uso del color. Desde el inicio del grupo, el fin último de De Stijl es la integración de las artes, pero en el IV Manifiesto, publicado en esta ocasión, Van Doesburg, Van Eesteren y Rietveld afirman: "Hemos dado al color el lugar que le corresponde en la arquitectura y declaramos que la pintura separada de la construcción arquitectónica (esto es, del cuadro) no tiene ninguna razón de ser".[13] Esto implica que la pintura ha alcanzado su función real en la arquitectura y por tanto, como lienzo carece de sentido. La propuesta de Kiesler pertenece a este periodo de las ideas de De Stijl y representa uno de sus ejemplos paradigmáticos. Años más tarde, con la intervención en L'Aubette, Van Doesburg se replanteará de nuevo la relación color-arquitectura, priorizando en este caso, la pintura sobre el espacio, cuando afirma que L'Aubette es una gran pintura.

Kiesler define su montaje como "la contre-architecture". Si recurrimos a los términos del Neoplasticismo, contra- significa anti-estática, en oposición a la composición clásica. Por lo tanto, se trata de la arquitectura del movimiento. Los puntos 10 y 11 del texto de Van Doesburg, TIEMPO Y ESPACIO y EL ASPECTO PLÁSTICO, respectivamente, introducen la cuarta dimensión como elemento. El manifiesto de la *Ciudad* también recoge este concepto como uno de los "impulsos imparables" de su ciudad: "La Ciudad-tiempo: el tiempo es la medida de la organización de su espacio".[14]

El cine fue fundamental en la configuración del espacio en cuatro dimensiones, al poner en movimiento el plano pictórico. La portada del número 5 de De Stijl, de 1923, fue ilustrada con un *Filmmmoment*, una representación gráfica del movimiento de los planos en tres dimensiones realizada por Hans Richter. Estos dibujos tenían su origen en su película *Rythmus 21* en la que, partiendo de una superficie cuadrada y una línea recta va mostrando diversas formas a partir de la combinación de estos elementos en movimiento. La combinación de estos procesos da lugar a imágenes muy próximas a las del montaje de la exposición de Kiesler en un recorrido por la sala.

La liberación de la gravedad

La *Ciudad en el Espacio* es la arquitectura *antigravitacional*. La suspensión en el espacio se logra mediante una estructura de barras en horizontal y vertical que constituyen un entramado en el que se van sujetando los paneles. El sistema expositivo se independiza de los muros existentes y del nivel del suelo y *flota* en el espacio. En el manifiesto, dedica varios puntos a la descripción del sistema de articulación del espacio en la ciudad: "2- La liberación con respecto al terreno. La abolición del eje estático. 3- Sin muros ni cimientos. 4- Un sistema de tramos suspendidos (tensión) en el espacio libre". "La nueva forma de la ciudad está dirigida por un impulso imparable: [...] La ciudad-espacio: flota libremente en el espacio en una federación descentralizada dictada por la topografía".

El Neoplasticismo considera aplicables sobre la ciudad los mismos conceptos que para la arquitectura.[15] A su vez, sitúa las propuestas urbanísticas en primer plano: "Es obvio que con la destrucción durante la guerra por un lado, y las mejoras técnicas e higiénicas por otro, el problema del planeamiento de la ciudad demanda nuestra atención más que nunca".[16] Mondrian, habitualmente defensor de la primacía de la pintura, expresa su convencimiento de que "el Neoplasticismo sólo se puede realizar en la multiplicidad de edificios, como la ciudad".[17] Oud, sin embargo, rechaza las ideas neoplasticistas a nivel urbano, viendo una contradicción insalvable en la repetición seriada de viviendas: "En la ciudad moderna sólo podemos ser puros en un edificio aislado. Los hechos nos imponen una solución impura, pero necesaria".18 Van Eesteren es habitualmente considerado como el urbanista del Neoplasticismo, por tratarse del miembro de De Stijl que más ha desarrollado su trabajo en relación a la ciudad. Sin embargo, los vínculos con De Stijl de sus propuestas urbanas se quedan en un ámbito más conceptual y de metodología de proyecto.

Frederick Kiesler propone como punto 1 del manifiesto de la *Ciudad en el Espacio*: "La transformación del área de espacio circundante en ciudades", y después recalca que "La división entre la ciudad y el campo será abolida". Esta idea de espacio sin límites, recurrente en las propuestas de Kiesler durante toda su vida, se hace posible en la ciudad a través de la elevación de los edificios sobre el terreno, algo que se diferencia del concepto de *espacio infinito* de Mies ya que Kiesler prescinde completamente del nivel del suelo. Toda la vida se desarrolla en plataformas elevadas. Años más tarde, en el 1930, publica una fotografía de la propuesta en su libro *Contemporary Art Applied to the store and its display*, publicado en Nueva York, y la describe como "Maqueta de una ciudad completa en la que las casas, las calles, los aparcamientos, etc., se extienden y están suspendidos unos sobre otros y unos al lado de otros en el espacio".

Kiesler insinúa que el quinto punto de la arquitectura de Le Corbusier, los pilotis, proviene precisamente de su proyecto.. Sin entrar en la discusión de la autoría original, las propuestas de Le Corbusier son referencia obligada para la arquitectura y el urbanismo moderno. Theo van Doesburg critica su acercamiento a la ciudad existente por considerar que está actuando únicamente "como físico o cirujano",[19] frente a un problema urbano que necesita un replanteamiento completo mediante un sistema de tráfico orgánico y geométrico. La propuesta de Van Doesburg, la *Ciudad de la Circulación*, referida por Zevi, nunca llegó a construirse. Se quedó en una serie de bocetos y una declaración de intenciones por parte de su autor que la relegan a un ámbito puramente teórico, con algunas coincidencias con la *Ciudad en el Espacio*.

Van Doesburg presenta su proyecto en la conferencia que pronuncia en el año 1930 en la Residencia de Estudiantes de Madrid bajo el título genérico de *El urbanismo y la ciudad del mañana*. Según sus palabras, comienza a trabajar en esta propuesta en el año 1923. La idea principal se basa en la liberación de espacio para resolver la circulación de la ciudad. Para ello, propone "una ciudad sin calles, en la cual los inmuebles serán sustituidos por un sistema de pilares".[20] Los croquis del conjunto de edificios muestran una ciudad que se extiende en el territorio sin limitación alguna y sin centro, idea que la separa de la zonificación de las propuestas de Le Corbusier con un centro perfectamente reconocible y le acerca más al *espacio sin fin* de Frederick Kiesler. Los edificios se construyen mediante una estructura de pilares completamente independientes de los cerramientos y elevada con respecto al terreno. De este modo la ciudad se libera de calles y toda la superficie puede servir a la circulación.

En *Contemporary Art*, Kiesler publica el manifiesto de la Ciudad bajo el título de *Manifiesto del Tensionismo*. La Ciudad aparece como la primera obra tensionista. Junto a imágenes de puentes, la Torre Eiffel, etc., se muestra un proyecto para un centro comercial en altura y otro de rascacielos horizontales, ambos fechados en 1925 en París.

El Neoplasticismo se había quedado fuera de la representación de Holanda en la exposición de París del 25. Esto motivó que varios artistas, entre otros Kiesler, firmasen una queja formal por considerar injusta esta situación. Sin embargo, este movimiento estuvo presente con esta propuesta y así lo reconoce el propio Theo Van Doesburg que, según recuerda Kiesler, visitó la sala austríaca en compañía de Piet Mondrian y exclamó emocionado: "Has hecho lo que todos nosotros esperábamos hacer algún día. Tú lo hiciste".[21]

NOTAS

[1] EL LISSITZKY, *1929. La reconstrucción de la arquitectura en la U.R.S.S.*

[2] EL LISSITZKY, "Proun (1920)", en: GONZÁLEZ; CALVO; MARCHÁN (ed.), *Escritos de arte de vanguardia 1900/1945.*

[3] LISSITZKY-KÜPPERS, S, *El Lissitzky. Life letters texts.*

[4] MALÉVICH, K: "El Suprematismo (1920)", en: GONZÁLEZ; CALVO; MARCHÁN (ed.)

[5] FORGÁCS, E, "Definitive Space: The Many Utopias of El Lissitzky's Proun Room", en: PERLOFF; REED (ed), *Situating El Lissitzky. Vitebsk, Berlín, Moscú.*

[6] LODDER, C, *El Constructivismo Ruso.*

[7] GARRIDO, G, *Mélnikov en París*, 1925.

[8] EL LISSITZKY, "Ciudad Vieja – Organismos nuevos", en: EL LISSITZKY, *1929. La reconstrucción de la arquitectura en la U.R.S.S.*

[9] VAN DOESBURG, T, "L'évolution de l'architecture moderne en Hollande", en: *L'Architecture Vivante* III, n9, París, 1925.

[10] CREIGHTON, T, "Kiesler's pursuit of an idea", en: *Progressive Architecture*, v. 42, n 7, Julio 1961, Nueva York.

[11] KIESLER, F, *Contemporary art applied to the store and its display.*

[12] AA.VV., *De Stijl 1917-1931.*

[13] VAN DOESBURG, T; VAN EESTEREN, C; RIETVELD, G, "Hacia una construcción colectiva. IV Manifiesto del grupo De Stijl", en: VAN DOESBURG, *Principios del nuevo arte plástico y otros escritos.*

[14] KIESLER, F, *Manifiesto de la Ciudad en el Espacio*, texto mecanografiado, Fundación Kiesler en Viena.

[15] En el punto 13 afirma Van Doesburg que "Un bloque de casas es un todo del mismo tipo que una casa independiente. Las mismas leyes valen tanto para el bloque-de-casas como para la casa particular".

[16] DOIG, A, *Theo van Doesburg. Painting into architecture, theory into practice.*

[17] MONDRIAN, P, "La realización del Neo-Plasticismo en la arquitectura del futuro lejano y de hoy", en: MONDRIAN, *La nueva imagen en la pintura.*

[18] POLANO, S, "De Stijl/Arquitectura = Nieuwe Beelding", en: AA.VV., *De Stijl 1917-1931. Visiones de Utopía.*

[19] DOIG.

[20] VAN DOESBURG, T, "Espíritu fundamental de la Arquitectura Contemporánea", en: *Maestros de la arquitectura moderna en la Residencia de Estudiantes.*

[21] CREIGHTON.

II.

EL ESPACIO SECUENCIAL

Un nuevo lenguaje

"Gracias a la fotografía, también participamos en nuevas experiencias espaciales, y en mayor medida aún, gracias al cine. Con la ayuda de estos dos medios y de la nueva escuela de arquitectos, hemos alcanzado una ampliación y sublimación de nuestra percepción del espacio, la comprensión de una nueva cultura espacial. Gracias al fotógrafo, la humanidad ha adquirido el poder de percibir su entorno, e incluso su misma experiencia, con ojos nuevos".[1]

Esta afirmación de Moholy-Nagy recoge la fascinación que los nuevos medios, la fotografía y el cine, ejercieron sobre algunos autores como medios de creación. La posibilidad de mirar con "ojos nuevos" sobre la realidad, abre nuevas vías de trabajo en otras disciplinas artísticas. En esta ansia productiva a partir de los nuevos medios se encuadran también las experiencias del *Cine-ojo* de los rusos, encabezados por Dziga Vertov. El uso de la cámara en movimiento, haciendo equivalente el objetivo al ojo humano, abre nuevas formas de percepción y por tanto, en una trasposición de esta idea al ámbito creativo, permite la formulación de nuevas realidades. El *Cine-ojo* no se limita a la percepción directa de la cámara, sino que implica un proceso que va desde el rodaje hasta su proyección en la sala y que pasa por uno de los recursos clave del cine de vanguardia de esta época: el montaje. Deleuze, en un ensayo sobre la obra de Vertov, resalta esta idea: "Porque si el ojo humano puede superar algunas de sus limitaciones con ayuda de aparatos e instrumentos, hay una que no puede superar porque es su propia condición de posibilidad: su inmovilidad relativa como órgano de recepción, que hace que todas las imágenes varíen para una sola, en función de una imagen privilegiada. Y si se considera la cámara como aparato para tomar vistas, está sometida a la misma limitación condicionante. Pero el cine no es simplemente la cámara, es el montaje".[2]

El cine, a través del montaje, permite acoplar imágenes en relaciones imposibles. Este deseo de crear un nuevo lenguaje y romper con la visión tradicional se explicita de forma simbólica en la escena de la *destrucción* del Teatro Bolshoi, símbolo del lenguaje historicista, en una secuencia de la película *El hombre de la cámara* de Vertov.

El espacio expositivo no sólo no permanece ajeno a estas nuevas formas de expresión, sino que se convierte en lugar de experimentación de las nuevas maneras de ver. El *Gabinete de los Abstractos* (1926) y las exposiciones de propaganda de El Lissitzky, como *Pressa* (1928), o la *Sala del Presente* (1930) de Moholy-Nagy, basan su concepción espacial en la visión fotográfica y la secuencia del montaje cinematográfico.

En estos proyectos, el sentido de la vista se impone. Se trata de espacios para ser percibidos a través del ojo, equivalente fisiológicamente a la cámara. Esto los acerca directamente a las denominaciones de experiencias cinematográficas como el *Cine-Ojo* de Vertov o el ensayo *La Nueva Visión* del propio Moholy-Nagy, en los que se marca la preeminencia de lo visual.

A pesar de que en alguno de estos proyectos se llegan a accionar mecanismos y *tocar* piezas. Se trata, sin embargo, de propuestas que apelan a lo táctil a través de la visión. Cuando Vertov visita el *Gabinete de los Abstractos* en Hannover, en una carta que le escribe a su autor dice: "Me senté allí por un largo rato, examinando y tocando".[3] En este caso, se puede referir a tocar físicamente los dispositivos, como los paneles correderos, pero también a la sensación táctil de la desmaterialización de los muros. Giedion describe esta sensación: "estas bandas proyectan franjas verticales de sombras y desmaterializan el muro hasta el punto en que parece disolverse completamente".[4]

Las propuestas de Hannover. El *Gabinete de los Abstractos* de El Lissitzky y la *Sala del Presente* de Moholy-Nagy

En los años 20, en Alemania, se concentran una serie de propuestas museísticas en las que se aplican modelos novedosos en sus salas, alcanzando su máximo auge durante el período de la República de Weimar (1919-33). Los espacios de exposición se desarrollan en paralelo a la efervescente actividad artística de la época. Esta se concentra en una serie de ciudades que funcionan como polos de atracción para artistas de distintas nacionalidades. El centro de mayor actividad es Berlín. Existen, sin embargo, grupos de artistas que desarrollan su actividad en ciudades de menor entidad y que las sitúan en el mapa del arte internacional. Este es el caso de Hannover, a medio camino en el trazado ferroviario entre Amsterdam y Berlín, en la que el espacio expositivo será el protagonista en el Museo Provincial y en obras como el *Merzbau* de Schwitters, que el artista construye en su casa-taller en la Waldhausenstrasse 5.

En Hannover se genera un foco de actividad artística muy vinculado a Berlín. Sin embargo, su situación geográfica, hace de la ciudad puerta de entrada de las corrientes de vanguardia holandesas, encabezadas por Theo van Doesburg. La sociedad artística Kestner-Gesellschaft, con Paul Küppers como asistente en la organización de exposiciones y tras su muerte en 1922, su viuda Sophie Küppers, posteriormente esposa y biógrafa de El Lissitzky, expone en Hannover obra de los artistas internacionales más representativos del momento.

La figura central de los artistas de la ciudad, Kurt Schwitters, juega un papel clave su internacionalización. Ejerce como anfitrión de los creadores que acuden a Hannover y publica la revista *Merz*, en colaboración con otros artistas como El Lissitzky o Hans Arp. Su amiga, Kate Steinitz, también pintora, organiza en su casa numerosos encuentros con artistas. Su libro de visitas es una buena muestra de la gran cantidad de personajes relevantes de la cultura alemana e internacional que pasan por la ciudad: Theo y Nelly van Doesburg, El Lissitzky, Katherine Dreier, Raoul Haussmann, Schwitters, Moholy-Nagy,... son algunas de las firmas. Otra figura clave en los círculos artísticos de Hannover es Alexander Dorner, director del Landesmuseum entre los años 1922-36. En el 1927, sitúa esta institución en el panorama artístico moderno con la construcción del *Gabinete de los Abstractos*. La propuesta se enmarca en la organización de las 45 salas en orden cronológico. Se basa en la siguiente idea: "Solamente la persona que entienda la vida y el pensamiento de la Edad Media podrá ser capaz de experimentar las fuerzas artísticas en una pieza de altar".[5] Caracteriza cada una de las salas del museo con un *ambiente*, en el que cada espacio se trata de forma diferente en función de la época que representa.

En este concepto museístico se encuadran las salas 45 y 46 del Landesmuseum, que Dorner encargó a El Lissitzky en el año 1926 y a Moholy-Nagy en 1930, respectivamente, para completar su recorrido cronológico por la historia del arte. Finalizados los espacios del S.XIX, Dorner quería contar con una sala para el arte abstracto, representando, en ese momento, el estadio final de su organización. El museo había adquirido algunas obras contemporáneas, entre otras, según Sophie Küppers, la primera pintura de Mondrian que se vendió en Alemania. Con este motivo, en el año 1925, Dorner había encargado a Theo van Doesburg el acondicionamiento de la sala. Sin embargo, consideró que la propuesta no tenía el carácter transformador suficiente para crear un ambiente específico en la sala y la rechazó. El encargo a El Lissitzky llegaría un año más tarde, cuando el director tiene ocasión de ver la *Sala para Arte Constructivista* en la *Exposición Internacional de Arte* de Dresden. El Lissitzky construye un espacio específico para albergar obras de arte moderno en el que se mostraron piezas de Mondrian, Léger, Picabia, Moholy-Nagy, Gabo y del propio autor.

El montaje era, en palabras de Küppers, "completamente nuevo en su concepción",[6] y pronostica, acertadamente, que tendrá "un efecto incisivo en el tema de la exposición".[7] El *Gabinete de los Abstractos* (*Kabinett der Abstrakten*), como se denominó la sala, supuso un cambio substancial en la concepción de los espacios expositivos y su repercusión en medios nacionales e internacionales no tuvo precedentes. Esta segunda versión introduce algunos cambios para adaptarse al espacio dado, pero en esencia, recoge las mismas ideas que la primera. El Lissitzky, de vuelta en Moscú después de la experiencia en Dresde, envía los planos a Hannover y visita la exposición ya acabada en el año 1929, mostrando su conformidad con lo construido.

Hasta el 1930, el *Gabinete de los Abstractos* representaba el último estadio de la teoría evolutiva de Dorner. En ese momento, visita el *20° Salón de la Sociedad de Artistas Decoradores* en París, que se celebró en el edificio del Grand Palais del 14 de Mayo al 13 de julio de ese año.

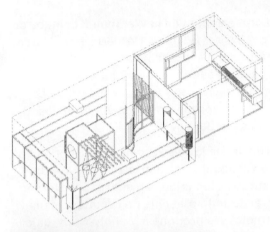

5a/b/c. *Gabinete de los Abstractos* y *Sala del Presente.*

La *Sección Alemana*, en representación de la Werkbund, contaba con cinco salas organizadas por Walter Gropius, Herbert Bayer, Marcel Breuer y László Moholy-Nagy, bajo la coordinación del primero. A pesar de que todos ellos habían abandonado la Bauhaus en el 1928, esta exposición era un reflejo de la producción de la escuela bajo la dirección de Gropius. De hecho, los medios de la época la describieron como "la Exposición de la Bauhaus".[8]

Dorner se interesa en particular en la *Sala 2*, comisariada por Moholy-Nagy, en la que se exponen productos industriales y se hace un alarde de los medios eléctricos y lumínicos en el espacio. Dorner identifica esta sala como el período presente de la cultura alemana, más allá del arte abstracto, y le propone a Moholy-Nagy, bajo la supervisión de Gropius,[9] la adaptación para el último espacio de su museo. Será la *Sala del Presente* (*Raum der Gegenwart*). En su momento no se construyó en su totalidad hasta una versión realizada en el año 2009, por Kai-Uwe Hemken y Jakob Gebert, promovida por el Abbeemuseum de Eindhoven.

El *Gabinete de los Abstractos* fue destruido en 1937 por una comitiva del *Arte Degenerado* y sus obras requisadas. En los años 70 se hizo una réplica que hoy se puede visitar en el Museo Sprengel de Hannover.

Las exposiciones de propaganda de El Lissizky. *Pressa*

A su vuelta a Moscú, El Lissitzky continúa con su trabajo en exposiciones. La primera de ellas fue la de la *Unión Poligráfica* que se celebró en un pabellón de madera del Parque Gorky en Moscú. Poco tiempo después, el Comisario de Estado, Khalatov, le llama para diseñar el Pabellón Soviético de la *Exposición Internacional de la Prensa*, *Pressa*, que tendría lugar en Colonia, en Alemania, entre mayo y octubre de 1928. El encargo llegaba con pocos meses de antelación y la labor de El Lissitzky consistía en comisariar una exposición en la que trabajarían unos treinta y ocho artistas.

Pressa fue un gran evento internacional que contó con 227 stands y más de cinco millones de visitantes. La prensa de la época le concedió una gran atención, calificándola como "la más grande de las exposiciones internacionales celebradas desde que terminó la guerra".[10] Tuvo lugar en una zona poco edificada en la orilla del río opuesta al casco histórico de la ciudad, ocupando un área de unos tres kilómetros de longitud. Se construyeron algunos pabellones pertenecientes a periódicos o empresas privadas como el del arquitecto Eric Mendelsonh para el empresario Rudolf Mose, pero la mayor parte de los expositores ocuparon edificios ya existentes, algunos de los cuales, habían sido construidos para la exposición de la Deutscher Werkbund en 1914.

El Pabellón ruso se instaló en uno de los extremos de la *Casa de las Naciones*, un edificio existente que fue completado para la ocasión con pequeños pabellones anexos, todos iguales, que eran asignados a cada uno de los países: Gran Bretaña, China, Japón, etc. En el otro extremo, cerraba el conjunto la representación de los Estados Unidos. El espacio para la exposición rusa resultó, por tanto, de la combinación de estos dos volúmenes. El montaje destacó sobre el resto por lo novedoso de su planteamiento. Supone el inicio de las exposiciones de propaganda, en las que el objetivo de la propuesta es el de no dejar indiferente al espectador, sino el de integrarle en un espacio que mostraba las virtudes de un régimen político como el ruso, basado en el progreso, la técnica y la creación de una nueva sociedad de acuerdo a un nuevo ritmo.

La exposición causó sensación entre la prensa alemana, que recoge comentarios de este tipo: "¡Qué contraste el que se percibe entre las alas británica y soviética! [...] En cuanto a Rusia, justo es reconocer la grandeza en la exposición de las condiciones sociales, con equipamiento realmente mecanizado, cintas de transporte que forman grandes zig-zags de tipo cubista y causan agitación con los enormes pasos que dan en pos del progreso, que se presentan de una manera osada y jactanciosa, siempre con un rojo deslumbrante. ¡Adelante! Hacia la lucha y hacia la conciencia de clase".[11]

La opinión de El Lissitzky sobre el resultado alcanzado es contradictoria. Por una parte, alaba lo construido ante sus camaradas rusos, pero en una carta dirigida al arquitecto holandés J.J.P. Oud,

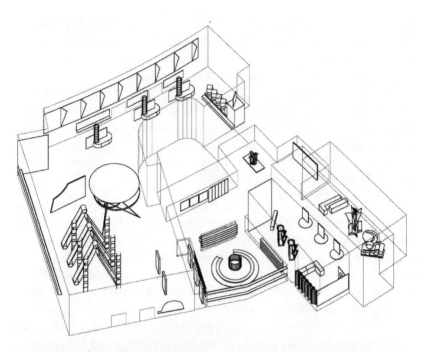

6a/b. *Pressa.*

plantea su incomodidad con el resultado, haciendo esta interesante observación: "Tuvimos un gran éxito, pero en términos estéticos se trata de un regalo envenenado. La brevedad del plazo y la enorme prisa con la que se realizó me obligaron a alterar mis planes y afectaron al acabado, por lo que el montaje terminó siendo básicamente un decorado teatral".[12]

Un año después de *Pressa*, Lissitzky comisaría otras dos exposiciones: *Film und Foto* en Stuttgart y la *Exposición Internacional de la Higiene* en Dresde, en donde se pueden leer recursos iniciados en *Pressa*. La influencia de esta exposición también puede apreciarse en otros autores de la época, como Herbert Bayer o Giusseppi Terragni.

LA SECUENCIA-MONTAJE

El Lissitzky y el *Cine-Ojo*

El vínculo existente entre El Lissitzky y el cine parte del *Espacio Proun*, en el que existe una búsqueda consciente de la creación de la forma a través del movimiento, en estrecho vínculo con los experimentos cinematográficos de Viking Eggeling. Ulrich Pohlman destaca en El Lissitzky el carácter cinematográfico de sus espacios: "Uno de los rasgos más llamativos en el diseño de El Lissitzky es la puesta en escena "cinematográfica" de un material en esencia pictórico".[13]

Testimonios de visitantes de estas exposiciones confirman la identificación en muchos aspectos con el lenguaje del cine. Sirva como ejemplo el artículo de Riazantvev sobre Pressa escrito ese mismo año, en el que afirma "¡Y qué bien saben los rusos cómo lograr los efectos visuales que sus películas han estado mostrándonos durante años!",[14] o la observación del arquitecto holandés y amigo de El Lissitzky, Mart Stam sobre su concepción arquitectónica: "la impresión de un trabajo es como una película. Instantes en una secuencia en el tiempo".[15]

El Lissitzky no es ajeno a las posibilidades creativas de los nuevos medios. Experimenta con estos en creaciones como los *fotopis* o los fotomontajes y reconoce en Dziga Vertov la creación de un nuevo lenguaje cinematográfico. Es preciso aclarar, sin embargo, que El Lissitzky y Vertov no se conocen personalmente antes del año 1929, momento en el que El Lissitzky ya había planteado sus propuestas más innovadoras. Su relación comienza precisamente en un pase para la prensa de *El Hombre de la Cámara* en Moscú, al que Vertov invita a El Lissitzky y Sophie Küppers, que en esos momentos están preparando el montaje y contenido de la sección rusa de *Film und Foto*. Las afinidades entre el trabajo de ambos les acerca de inmediato. Explica Küppers: "Estábamos los dos profundamente conmovidos. Se decidió que Vertov iría a Stuttgart con su película y una conferencia explicatoria".[16] Ambos autores se identifican en su búsqueda creativa y comparten su compromiso en la transformación de la sociedad.

El espectador activo y su efecto en el espacio

Activar al espectador es el principal planteamiento de los *espacios de demostración* de El Lissitzky para Dresde y Hannover. Las obras expuestas son pinturas y esculturas modernas. La sala actúa como mediadora entre objeto artístico y espectador. El Lissitzky entiende que la obra moderna no puede ser contemplada desde una posición pasiva, como tradicionalmente se ha entendido el proceso de acercamiento entre espectador y arte. El *hombre nuevo* es un agente activo en la sociedad de la revolución bolchevique, en contraste a la pasividad de una organización política conservadora.

"Las grandes exposiciones internacionales de pintura son como un zoo, donde el visitante es abordado por el rugido de miles de animales diferentes al mismo tiempo. En mi espacio de exposición los objetos no se abalanzan todos hacia el espectador al mismo tiempo. Si normalmente era arrastrado hacia una cierta pasividad al pasar a través de los muros llenos de pinturas, en nuestro proyecto será activado. Este debe ser el objetivo del espacio".[17] Esta afirmación de El Lissitzky, puede ser ilustrada por el collage de Moholy-Nagy: *Nuevo Museo: Galería de tiro*, en el que los cuadros son substituidos por animales rugiendo y el espectador se convierte en un cazador que dispara a las piezas. Para Moholy, la percepción del espacio es un acto para el que el hombre está dispuesto biológicamente. Pero ha de ser a través de la experiencia que la percepción se hace posible. El texto con el que encabeza *La Nueva Visión* así lo proclama: "No es posible sentir el arte a través de las descripciones. Explicaciones y análisis servirán a lo sumo como preparación intelectual".

El espectador es el protagonista indiscutible para el *Cine-Ojo*. En *El Hombre de la Cámara*, en las secuencias finales, aparecen primeros planos de los espectadores que acuden a la sala de proyección. Se captan las reacciones de los asistentes mostrando sorpresa, curiosidad, riendo,... ante los movimientos de la cámara que ha tomado vida propia y se mueve como un cuerpo animado. La ambigüedad entre hombre y máquina es constante a lo largo del metraje y el ojo del espectador se identifica a menudo con el ojo mecánico de la cámara. A lo largo de la película, los distintos puntos de vista hacen que en ocasiones, el espectador se identifique con el operador, apropiándose de su mirada.

El espacio, sea este cinematográfico o arquitectónico, activa al espectador-ususario. Este abandona su posición de confort para cambiar su propia realidad, en paralelo a la transformación que se ha de operar en la construcción de la nueva sociedad. Se establece, por tanto, una relación recíproca entre espectador y espacio. La identificación entre la acción humana y la activación del entorno es una aportación del cine de los años veinte para mostrar el ritmo de las grandes ciudades. La posibilidad de reproducir el ajetreado movimiento de las urbes industriales a través del cine dio lugar al nacimiento de las *sinfonías*, que toman el nombre de una de las más conocidas: *Berlín. Sinfonía de una gran ciudad,* rodada por Walter Ruttmann en el año 1927. Esta película muestra la vida frenética de Berlín durante una jornada de trabajo. Comienza con la ciudad y sus habitantes dormidos y el ritmo de sus espacios va evolucionando en paralelo a la actividad de sus ocupantes. Presenta muchas similitudes con *El Hombre de la Cámara* de Vertov, filmada un año más tarde. Sin embargo, *Berlín* mantiene una estructura tradicional secuenciada en actos y los experimentos con la cámara quedan lejos de las búsquedas de la película de Vertov, en la que la cámara-ojo toma una nueva dimensión creativa.

En 1923, René Clair rueda *Paris qui dort*, en la que se muestra la ciudad que se va poniendo en movimiento en paralelo a la actividad de sus habitantes. Vertov tiene ocasión de ver esta pieza en París y se identifica plenamente con la idea. Escribe en su diario: "Me apenó. Hace dos años yo tracé un plan en el que el diseño técnico coincidía exactamente con el de esta pieza. [...] Nunca tuve la oportunidad".[18] Es la acción del hombre la que da vida al espacio, transformándolo y dotándolo de movimiento. Asimilando la idea de ciudadano a espectador, se puede afirmar que se trata de un agente activo, que no se limita a deambular pasivamente, sino que interactúa con el entorno transformándolo y a la vez dejándose influir. George Perec alude a la película de René Clair en el año 1974 en *Un homme qui dort*, en la que el protagonista deambula por París como un agente pasivo, reaccionando con aparente indiferencia a todo lo que le rodea. La lectura de paralelismos no se hace de forma explícita como en la primera película sino que se plantea una relación psicológica entre hombre y ciudad.

En *El Hombre de la Cámara*, Vertov comienza asimilando el espacio urbano a una mujer para mostrar el contraste entre la ciudad sin acción y el movimiento de la vida: la mujer está dormida y la ciudad vacía, únicamente movida por el viento que agita los árboles; la mujer se despierta y en la calle comienza a haber cierto movimiento; la mujer se lava para comenzar el día y en paralelo, se limpia la ciudad. Finaliza la película en el salón en el que se proyecta. En este, la presencia del espectador también origina su transformación a través de imágenes secuenciales.

En sus propuestas expositivas, El Lissitzky plantea explícitamente la activación del espectador a través de su espacio pero la relación, como se ha explicado con los ejemplos cinematográficos, es biunívoca. El espectador del *Gabinete de los Abstractos* transforma la sala a través de su presencia, del recorrido o con el accionamiento de mecanismos, y son estos recursos los que a su vez consiguen el propósito de generar una percepción activa de las obras expuestas. La repercusión que el *Gabinete* tuvo en las publicaciones de la época, tanto nacionales como internacionales y los testimonios de algunos de sus visitantes, dejan constancia de lo sorprendente que resultaba su visita y como la experiencia no dejaba indiferente a nadie. Como ejemplo de ello, podemos citar al español Ernesto Giménez Caballero que visita Hannover en un viaje que realiza a Alemania para escribir una serie de artículos sobre literatura y arte de este país en *La Gaceta Literaria*, bajo el título genérico de "12.302 Kms. Literatura. La etapa alemana". En uno de estos artículos dedica una sección a los *Abstractos* de Hannover en la que el *Gabinete* ocupa un lugar destacado, con dos fotografías y este comentario: "El público del abstractismo era escaso e incomprensivo –me aseguraban. Sin embargo, el Museo provincial de Hannover les había cedido una sala, que ellos habían decorado con la mayor disciplina a sus ideas". El hecho de que un espacio expositivo aparezca a la par de otras propuestas artísticas como la pintura o la escultura confirma el interés que despertaba.

El arquitecto estadounidense Philip Jonhson describe la visita como un descubrimiento memorable. Viaja por Europa con Alfred J. Barr. Juntos van al *Gabinete de los Abstractos*, que posteriormente, Barr incluirá también en su catálogo de *Cubism and Abstract Art* del año 1936. Afirma Jonhson que: "Fue este tipo de experiencia la que por primera vez despertó mi interés en el Movimiento de la Bauhaus y verdaderamente en la Arquitectura Moderna en general. No recuerdo nada desde ese período de finales de los años veinte que haya sido tan excitante para mí".[19]

En el *Gabinete de los Abstractos* y *Pressa* el movimiento del espectador es una premisa que determina la configuración del espacio. Sin embargo, al contrario que en las exposiciones coetáneas de la Bauhaus, en las que se propone un recorrido preciso en la exposición, en las propuestas de El Lissitzky, el desplazamiento del espectador no está claramente determinado. En Dresde, la entrada y salida vienen dadas por la estructura general propuesta por la organización de la exposición. La sala de trabajo de El Lissitzky consiste en un espacio de 6×6 m con dos accesos situados en paredes contiguas. Se construyó como un prototipo estándar para la muestra de obras modernas, pero la ubicación de la sala y sus dimensiones condicionó su ejecución. El soporte de la escultura de Naum Gabo ocupa una posición central en el espacio y en las fotografías siempre aparece como una referencia en primer plano. Su formalización responde a un par de barras horizontales unidas en forma de T en el suelo sobre la que se apoya otra en vertical y que sostiene el soporte de la escultura. Una barra en diagonal introduce movimiento en la pieza y una serie de cables cosen el conjunto. La colocación en la axonometría de proyecto y en las fotografías es idéntica, no sólo en posición, sino también en cuanto a la orientación. No se coloca en el centro, sino en línea con los límites de las dos puertas, marcando simbólicamente dos ámbitos y obligando a bordear la escultura para poder acercarse a todos los muros.

En Hannover, la sala también está marcada *a priori* por la configuración del recorrido general del museo. Este se produce de forma lineal a lo largo de las distintas salas siguiendo un criterio de orden cronológico. En la sala, la entrada y la salida estaban ubicadas en paredes contiguas y ambas situadas en posiciones descentradas. Existe una búsqueda propositiva de la ruptura de la simetría en el conjunto. El pedestal para la escultura formaba parte del conjunto de mobiliario diseñado específicamente para la pared de la ventana. Este estaba en el lado izquierdo, con una altura que situaba la escultura de Archipenko a nivel de los ojos del espectador, y con un espejo detrás que permitía observar la pieza desde múltiples posiciones. El efecto de multiplicación de los puntos de vista se presenta también como un reclamo para incitar al desplazamiento del espectador.

El recurso que mayor impacto provocaba sobre la percepción era el juego óptico que producían los listones verticales en las paredes. En el momento en el que se accede al espacio, un ligero cambio de posición ocasiona la modificación del color de los paramentos verticales transformando por completo la percepción del conjunto. Este efecto se consigue por el recubrimiento de las paredes con tiras de acero de 2 mm de espesor y 4 cm de longitud, separadas 3 cm entre sí, colocadas en perpendicular al muro. Los listones se pintan de gris en la parte frontal, blanco en uno de los laterales y negro en el opuesto. Dependiendo de la posición en la que se sitúa el espectador, varía el fondo sobre el que se cuelgan las pinturas. Al desplazarse por la sala, se producen una serie de imágenes cambiantes que, en continuo, crean una percepción secuencial del espacio.

El juego óptico o, en palabras de El Lissitzky, el *dinamismo óptico* que se genera anima a la búsqueda de nuevas imágenes o *fotogramas* y por tanto, al movimiento del espectador en la sala. El ojo humano se transforma en el *Gabinete* en el ojo-cámara de Vertov que, en palabras suyas, "busca a tientas en el caos de los acontecimientos visuales dejándose atraer o repeler por los movimientos, el camino de su propio movimiento o de su propia oscilación, y que hace experiencia de prolongación de tiempos, de desmembramiento del movimiento o al contrario de la absorción del tiempo en sí mismo".[20]

7. *Gabinete*: fondo óptico.

Los muros son entendidos como *fondo óptico* de las pinturas, no como elementos portantes. El espacio está planteado como un prototipo que puede adaptarse a otro espacio museístico y permite la exposición de cualquier pieza moderna. Las pinturas que se muestran son intercambiables por otras.

El *Gabinete* es un lugar para la experimentación de los efectos que el movimiento produce en la percepción espacial. Cuando Vertov lo visita en el año 1929, es probable que además de la fascinación que la experiencia espacial pudo haberle provocado, se sintiese muy identificado con el carácter experimental de la propuesta e incluso con sus aportaciones.

En *Pressa*, toda la exposición se organiza de acuerdo a la percepción en secuencia. En el catálogo de la sección rusa, se publica una planta en la que se indican con números las distintas secciones que la conforman. Unas flechas en planta marcan los accesos frontales y posteriores que indican entrada y salida. Del mismo modo que en los espacios de demostración, la disposición de los distintos elementos que conforman la exposición no marcan un recorrido preciso ni existe un punto focal desde el que se pueda obtener una visión completa, sino que los puntos de vista para la apropiación del espacio han de ser múltiples.

El espectador-creador

El papel activo del espectador le confiere también un papel en la creación de la obra. En la sociedad de los medios de producción, tal como afirma Walter Benjamin, "la distinción entre autor y público está a punto de perder su carácter sistemático".[21]

El operador de cámara de Vertov tiene un papel a medio camino entre autor y espectador. Su presencia continua a lo largo de la película da referencia del punto de vista en el que se está grabando en cada momento pero al mismo tiempo, sitúa al espectador en su lugar. Este ve las escenas a través de sus ojos. Se convierte en el *kinoks*, el hombre que dirige los movimientos de la cámara. Este mismo efecto se produce en el *Gabinete de los Abstractos* cuando el visitante se acerca a contemplar la escultura y se ve en el espejo. El reflejo de los listones del muro hace que lo que vemos en negro se transforme en blanco. El espectador puede entonces entender el truco del *dinamismo óptico* que domina la sala. La mediación en la percepción de las obras se hace explícita. El autor no oculta sus juegos de manipulación, sino que hace cómplice al espectador.

El papel activo se intensifica con el accionamiento de los dispositivos del montaje. El visitante manipula una serie de paneles que le permiten seleccionar la pieza que ve en cada momento. A su vez, el movimiento de estos elementos produce transformaciones que son percibidas a través de una secuencia de imágenes. Estos dispositivos plantean el problema del abigarramiento de cuadros en la sala, permitiendo la acumulación de obras pero el control sobre el número de piezas que se ven. El sistema de paneles correderos recuerda conceptualmente a la *Drawing's Room* de John Soane, construida para su casa-museo en el número 13 de Lincoln's Inn Fields en Londres (1792-1824). Las pinturas cuelgan de paneles abatibles que el espectador va moviendo para verlas, de modo que consigue almacenar una gran cantidad de piezas en un espacio reducido y la contemplación de estas se hace de forma individual.

En la propuesta de Hannover existen distintos tipos de dispositivos. Por una parte, un grupo de tres pinturas colocadas en vertical

8. *Gabinete*: paneles correderos.

y un panel opaco deslizante que oculta un tercio del conjunto, con
lo que se impide siempre la visión de una pintura. En el muro frente
a la puerta de acceso se coloca otro mecanismo que, mediante el
deslizamiento en horizontal, permite la visión de cuatro cuadros distintos en el espacio que ocuparían dos fijos. Otro dispositivo móvil
integrado en la vitrina que ocupa la parte baja del muro de la ventana
contiene información sobre técnicas modernas. Un prisma de vidrio
giratorio muestra cuatro paneles que el espectador va girando.

Para El Lissitzky el movimiento de los objetos va ligado directamente al concepto de tiempo. En el texto *Pangeometría*, explica: "El tiempo es percibido por nuestros sentidos indirectamente y el cambio
de posición de un objeto en el espacio lo hace perceptible".

La *visión expandida*

La *visión expandida* es un término definido por Herbert Bayer, autor de la *Sala 5* de la *Sección Alemana* de la Exposición de París del 1929 que alude, de nuevo, a la activación del espectador. En este espacio, Bayer coloca paneles con fotografías y maquetas de edificios a distintas alturas ampliando el campo de visión convencional. Estas piezas delimitan una superficie cóncava que hacen que la visión lineal no alcance a todas las piezas.

Bayer desarrollará un importante trabajo en diseño de exposiciones en Europa y tras su exilio, en los Estados Unidos. En el año 1937 publica un artículo titulado "Fundamentos del diseño de exposiciones", en el que realiza un análisis gráfico de los recorridos en distintos espacios expositivos, sobre los que también representa el campo de visión. Escribe en la versión del 1961: "Campo de visión: [...] Durante el diseño de la exposición de la Deutcher Werkbund en París en 1929, el autor exploró posibilidades extendiendo el campo de visión para usar además áreas verticales y por tanto activar con un nuevo interés. El campo de visión normal se hace más amplio por el giro de la cabeza y el cuerpo, por lo que la dirección del espectador y la posición relativa de lo expuesto gana nuevas posibilidades".

En el catálogo de la *Sección Alemana* de París del 1929, además de las fotografías de su espacio, se incluye un esquema gráfico explicativo con esta idea, en el que el ojo alcanza la dimensión de la cabeza, priorizando la percepción visual sobre cualquier otro aspecto.

La cámara cinematográfica de Vertov también gira en vertical, de modo que graba imágenes que tensionan el campo de visión convencional, en una acción en paralelo a los movimientos del ojo del que mira. Su interés en explorar nuevos campos de visión le lleva a proyectar en sus conferencias imágenes en el techo del auditorio para forzar la mirada del público.

En los *espacios de demostración* de El Lissitzky los cuadros se colocan a distintas alturas extendiendo el área visual a toda la pared. En Hannover, además, en el sistema de corredera horizontal, sitúa una pintura de Mondrian por encima de la altura de los ojos del espectador y otra del mismo autor por debajo. Pero es en *Pressa* donde de forma más clara, explora este recurso. Algunas secciones, como la número 2, *Historia de la Prensa*, adoptan alturas convencionales, pero en la mayor parte se recurre a ampliar el campo de visión. Por ejemplo en el mural de la *Academia de la Ciencia* o en los *Transmisores*, las imágenes toman la altura completa del espacio hasta las vigas de la estructura, unos 8 metros.

La pieza más significativa del conjunto es el mural-fotomontaje de El Lissitzky y Senkin. Esta pieza se sitúa a lo largo de toda la pared posterior del edificio existente, a una altura aproximada de 3 metros, salvando los huecos de los accesos. Tratándose de la obra protagonista, su ubicación no puede ser casual. Elevar el mural por encima de la altura de los ojos del espectador obliga a la ampliación de su límite convencional de observación.

En exposiciones posteriores, El Lissitzky desarrolla el concepto de la *visión expandida* con rotundidad. En *Film und Foto* las imágenes se cuelgan a distintas alturas en un entramado de barras de madera que va de suelo a techo. En la *Exposición Internacional de la Higiene*, la ampliación del campo de visión está puesta al servicio de la propaganda del estado llenando, no solamente las paredes, sino también el techo, creando una envolvente de visión completa.

Secuencia espacial a través del montaje

Recurriendo al montaje cinematográfico, el cineasta crea una realidad que no puede ser vista por el ojo humano. El objetivo de los *kinovs* es el de mostrar el mundo desde el punto de vista de la revolución proletaria mundial, que es el fin último de su lucha política. El *Cine-Ojo* registra imágenes con la cámara pero implica necesariamente el proceso de construcción en la sala de montaje.

El Lissitzky recurre a técnicas de fotomontaje para la construcción de los posters de propaganda política en los que trabaja desde los años 20 para sufragar los gastos médicos de sus largas convalecencias en sanatorios antituberculosos en Suiza. El proceso de combinación de imágenes para conseguir una nueva está presente en varios aspectos del diseño de *Pressa*. El fotomontaje, hecho en colaboración con Senkin, es un ejemplo directo, pero también plantea este mecanismo en su configuración espacial. Herbert Bayer hace referencia al juego de transparencias creado en *Pressa*: "La innovación está en el uso de un diseño de espacio dinámico en vez de [...] simetría, en el uso no convencional de varios materiales (introducción de nuevos materiales como celofán curvado transparente), y en la aplicación de una nueva escala, como en el uso de fotografías gigantes".[22]

El catálogo de *Pressa* contenía un suplemento gráfico con un fotomontaje continuo desplegable en el que se mostraban imágenes del pabellón ruso y de todas las secciones que lo formaban. Este fotomontaje se corresponde con las leyes de construcción del sistema expositivo en el espacio, combinando las distintas secciones sin un orden preciso y creando nuevas relaciones entre ellas. El Lissitzky lo denomina "kino-show", una especie de "cine-muestra", y Sophie Küppers afirma que "El "foto- suplemento" del catálogo fue [...] como una clarificación visual del carácter general del Pabellón Soviético".[23] De nuevo este recurso requiere de un espectador activo que forme parte del acto creativo.

En Vertov el montaje incorpora un nuevo concepto que también vemos en El Lissitzky: el intervalo. La importancia en su producción cinematográfica es tan determinante que llega a ponerlo por encima del movimiento. En el manifiesto *Nosotros* deja claro su interés: "Los intervalos (pasos de un movimiento a otro), y no los movimientos en sí mismos, constituyen el material (elementos del arte del movimiento). Son ellos (los intervalos) los que arrastran el material hacia el desenlace cinético". La puesta en relación de unas imágenes con otras se hace a través de interrupciones que actúan como nexos entre fotogramas diferentes y que dan margen al espectador para posicionarse activamente ante la obra. En *Pressa*, el fotomontaje principal, *La tarea de la prensa es la educación de las masas*, está interrumpido secuencialmente por una tela de forma triangular y color rojo que marca ocho cortes en la continuidad de los 23 m de mural. La irrupción de este elemento se corresponde con el trazado de las vigas del techo del edificio. El hacer consciente al espectador de esta interrupción, de la materialización del tiempo, propicia que las partes adquieran significado como conjunto.

Los vínculos espaciales de *Pressa* con recursos cinematográficos se pueden identificar claramente por la asimilación que se puede hacer de esta exposición con la descripción que Vertov hace sobre el *Cine-ojo*: "Soy el Cine-ojo. Soy un constructor. Te he situado, a ti que te acabo de crear, en una habitación extraordinaria que no existía hasta ahora y que también he creado. En esta habitación hay doce paredes que he tomado de las diferentes partes del mundo. Yuxtaponiendo las vistas de las paredes y los detalles he conseguido disponerlas en un orden que te gusta y edificar en la buena y debida forma, a partir de los intervalos, un cine frase que es precisamente esta habitación".[24]

LA NUEVA VISIÓN

Experimento en la totalidad

Experimento en la totalidad es el título de la biografía de Moholy-Nagy que publica en el año 1950 su última esposa, Sybil, cuatro años después de su fallecimiento. El título alude a la idea de obra de arte total, la *Gesamtkunstwerk*.

La *Sala del Presente* es un espacio integrador de las artes, en el que arquitectura, pintura, diseño industrial, escenografía, etc., se reúnen en la sala. El espacio permite la materialización de lo que Moholy-Nagy desarrolla en la segunda parte de la publicación *Vision in Motion* titulada: "integración – las artes". En esta analiza en sucesivos apartados: "pintura, fotografía, escultura, problemas del espacio-tiempo, imágenes en movimiento, literatura, poesía".

Uno de los puntos fundamentales en los que se asienta la propuesta teórica de Moholy-Nagy es en la capacidad de la percepción del espacio de un espectador *estándar*: "La experiencia espacial no es un privilegio del arquitecto talentoso, sino función biológica de todos".[25] Autores como Geber y Hemken, responsables de la construcción de la réplica actual del espacio, atribuyen a este proyecto, además, una intención pedagógica a la inmersión del espectador en esta experiencia, entrenando la mirada. Para Alexander Dorner supone un estadio más contemporáneo que el *Gabinete de los Abstractos*.

En este espacio, variados recursos visuales invitan a la experiencia con los nuevos medios. Moholy los muestra a través de su presencia directa en la sala, pero sobre todo, recurre a estos como base de una nueva manera de ver en la concepción del espacio, originando una propuesta pionera en las salas de un museo.

Los trabajos experimentales con fotografía y cine del propio autor resultan imprescindibles para entenderlos como proceso evolutivo hasta esta propuesta: "Gracias a la fotografía, también participamos en nuevas experiencias espaciales, y en mayor medida aún,

9. *Sala del presente*: recorrido.

gracias al cine. Con la ayuda de estos dos medios y de la nueva escuela de arquitectos, hemos alcanzado una ampliación y sublimación de nuestra percepción del espacio, la comprensión de una nueva cultura espacial".[26]

El recorrido como experiencia integradora

Moholy-Nagy titula *Visión en movimiento* (*Vision in motion*) su último libro. Los contenidos básicos son los mismos que los de *La Nueva Visión*, pero ahora poniendo el énfasis en la idea del recorrido como elemento mediador en la percepción. El movimiento del espectador se considera en sus obras desde los primeros años veinte, cuando desarrolla el proyecto *Sistema cinético constructivo. Estructura con pistas en movimiento para juego y transporte*. La propuesta inicial data del año 1922. Responde a una idea latente en el manifiesto *Sistema de Energía Dinámico-Constructiva* del mismo año firmado por Moholy-Nagy y Alfréd Kemény, en el que reclaman un nuevo arte participativo en el que el espectador debe jugar un papel activo. La integración en esta estructura se hace a través de su propio desplazamiento por el espacio.

El esquema gráfico que acompaña el *Sistema cinético constructivo* fue desarrollado años más tarde (1928) por el ingeniero Sebök. Se trata de una estructura equivalente a un edificio de doce plantas recorrida por dos rampas en espiral que ascienden desde el nivel del suelo hasta la parte más alta. El esquema de movimiento se completa con un ascensor dispuesto en vertical y una barra como las utilizadas en los parques de bomberos. Varias flechas indican direcciones de movimiento y una serie de personas aparecen en diversas posiciones participando de la experiencia.

En *La Nueva Visión*, Moholy-Nagy establece cuatro medios a través de los que el hombre percibe el espacio: la vista, el oído, el equilibrio y el movimiento. En la *Sala del Presente* este último está prefijado. El acceso se produce a través de la puerta de salida del *Gabinete de los Abstractos*. El primer elemento que se aprecia es un muro curvo de vidrio que muestra el uso de los nuevos materiales y marca el recorrido en la sala. Su transparencia hace que no actúe como un elemento limitador a nivel visual. Proviene de la exposición de París, en la que marca dos zonas, señalando claramente el camino que ha de seguir el espectador.

La relación de la mirada en movimiento con los experimentos cinematográficos de Moholy-Nagy tiene su origen en su primera película, *Dinámica de una gran ciudad*, cuya propuesta es del año 1922 y que finalmente nunca fue rodada. Su interés, más que cualquier otro, era el de experimentar con las posibilidades de la percepción visual. Considera que los trabajos de Eggeling y Richter sobre la creación de la forma dejan en un segundo plano la verdadera especificidad de este medio que él trata de explotar de forma radical. El recorrido ofrece una percepción secuencial del espacio que en la *Sala del Presente* se ve acentuada por las transformaciones también secuenciales de los dispositivos que el espectador puede accionar en la exposición, siguiendo la idea original de la sala precedente de El Lissitzky.

En el espacio de Moholy-Nagy, al contrario que en el del autor ruso, se sitúan todos los objetos a la altura de los ojos del espectador. La variación de los puntos de vista se produce por el desplazamiento y por la variación en las propias imágenes expuestas, en las que se fuerzan distintos puntos de vista para mostrar las amplias posibilidades del nuevo medio. La disposición de las diversas piezas se aplica con una concepción estándar donde todas pueden ser sustituidas y los dispositivos expositivos son verdaderas máquinas que dotan al conjunto de un carácter industrializado y mecanicista.

Los nuevos medios y el *aura*

La *Sala del Presente* es el primer espacio expositivo que introduce el cine en un museo. Hasta el momento, tanto la fotografía como algunas películas habían podido verse en exposiciones temáticas, de carácter temporal, pero no habían sido consideradas como pieza museística.

En el año 1929 la Deutscher Werkbund organiza una exposición específicamente dedicada al cine y la fotografía y que supondrá un reconocimiento a la creación con los nuevos medios. *Film und Foto* se celebra en Stuttgart en el Nuevo Hall de Exposiciones y en el Cine Königsbau. En el primer edificio se ocupan trece salas con espacios temáticos y secciones de países extranjeros. Cada una de estas salas estaba comisariada por autores diferentes, todos ellos de prestigio en la escena artística del momento y que mostraron las últimas producciones de sus respectivos países con estas técnicas. En la sección rusa, situada en la sala 4, El Lissitzky desarrolló un montaje específico en el que se exponían fotografías a distintas alturas y podían verse fragmentos de películas en tres pequeñas pantallas diseñadas por Eisenstein. Estas y otras piezas cinematográficas formaban parte de la programación del Cine Königsbau que se desarrollaba en paralelo a la exposición. Moholy exponía obras suyas en la sala 5 y fue el encargado del comisariado de la sala 1, en la que mostraba a modo de introducción, un recorrido histórico por el nuevo medio. En este espacio, se combinaban fotografías con anuncios, imágenes de Rayos x, etc., en una propuesta que iba más allá de un mero recorrido evolutivo y exploraba el nuevo lenguaje de las distintas técnicas fotográficas. Las imágenes expuestas recuerdan al compendio que se publica en *La Nueva Visión*.

En la *Sala del Presente*, la fotografía es el medio más recurrente. Imágenes de arquitectura, de escenografías teatrales, de productos industriales, etc., se muestran en toda la sala. Ocupan dos tiras paralelas en las dos paredes longitudinales, forman parte de un sistema de cortinillas que el espectador mira u oculta y en una banda continua con luz retro-proyectada que gira cuando este acciona un interruptor. Sin embargo, lo más significativo es su presencia como piezas centrales de la exposición, compartiendo protagonismo con el *Modulador de espacio-luz*, a través de una serie de diapositivas que dos proyectores van mostrando de forma secuencial.

En París, la proyección de fotografías es el dispositivo principal de la sala, ocupando una posición central. Este protagonismo se extiende a la concepción espacial de la exposición. En el catálogo, diseñado por Herbert Bayer, la *Sala 2* se traduce gráficamente a lenguaje cinematográfico mostrando las imágenes en serie en una cinta de película. Cuando Alexander Dorner visita la sección alemana, es precisamente esta serie de imágenes proyectadas la que más interés le causa, que identifica como una síntesis de los ideales de la Werkbund. Escribe: "Se demuestra claramente que el trabajo de la Deutscher Werkbund se encamina al rediseño de todo nuestro organismo-vida. Así pues, todo lo que fomenta la consecución de este objetivo se muestra en una serie de diapositivas proyectadas automáticamente: desde hojas de papel, vasos, sillas y tapicerías, a teatros y centros atléticos, pasando por la última locomotora Hanomag o automóviles producidos en series".[27]

Moholy, en *Vision in Motion*, describe las "secuencias de imágenes: series", como "La culminación lógica de la fotografía – la visión en movimiento", en las que la identidad separada constituye una nueva unidad en conjunto.

En la *Sala 2* de París no se mostraron películas. En Hannover, sin embargo, se incorporan dos pantallas a la sala, convirtiendo al Landesmuseum, como ya se ha señalado, en la primera institución museística que expone piezas cinematográficas. Las dos pantallas se integran en sendas piezas de mobiliario que, con forma de cajas negras, tienen una apertura circular en la parte frontal que permite ver la pantalla situada en el interior. Esta apertura, también usada en la caja que contiene el *Modulador de espacio-luz*, recuerda a una mirilla a través de la que ver, reforzando la idea de *mirar a través*. De la correspondencia ente Moholy y Dorner[28] se desprende que las piezas que el primero propone para exponer son una película de Eggeling en combinación con otra de Vertov en una pantalla y dos obras de Eisenstein en la otra, en concreto, *El Acorazado Potemkin* y *La línea general*. En la selección, se constata la intención de mostrar obras cinematográficas con un claro componente experimental hacia el propio medio.

Otros elementos a considerar en el espacio de exposición son los productos de diseño industrial, que adquieren valor de objetos artísticos en esta sala. Anteriormente, en el *Gabinete de los Abstractos*,

El Lissitzky había colocado una silla de tubo de acero de Mies van der Rohe que aparece de forma recurrente en las fotografías de la época. No se trata, propiamente, de una pieza en exposición, sino parte del montaje. La silla estaba a disposición del visitante que podía cambiarla de posición y sentarse. En la *Sala del Presente*, sin embargo, Moholy-Nagy presenta diversos objetos de diseño industrial como piezas artísticas. Es probable que en el proyecto original estos elementos fuesen todos lámparas provenientes de la *Sala 2* de París, producidas por AEG a partir de diseños de Bauhaus. Sitúa estos objetos sobre bases de vidrio flotantes fijadas a suelo y techo con cables de acero.

Es inevitable referirse a las reflexiones de Walter Benjamin que unos años más tarde haría en la conferencia *El autor como productor*, publicada en el 1934, y en el ensayo *La obra de arte en la época de la reproductibilidad técnica*, posteriormente. La reflexión parte de los cambios en el significado intrínseco de la producción artística frente a la posibilidad de reproducción fotográfica y la puesta en cuestión de la originalidad de la pieza. Benjamin plantea la desaparición del concepto de *aura* que recae en la unicidad de la pieza y se contrapone a la producción en serie industrial. Esto, a su vez, origina una nueva relación del espectador con el arte, que abandona su posición de privilegio y se abre a las masas. Afirma que: "El aquí y ahora del original constituye el concepto de autenticidad".

En la *Sala del Presente*, sin embargo, el espacio museístico hace que el objeto de producción industrial recupere su "aquí y ahora", lo que lo acerca de nuevo al concepto de *aura*. El visitante ve elevado un objeto de uso cotidiano a la categoría de pieza de museo y a través de esta experiencia en la sala, le confiere ese nuevo estatus. Los *ready-made* de Duchamp se apoyan también en la significación del espacio de exposición para crear su propio sentido. Después de la II Guerra Mundial, la reflexión sobre la reproducción de la obra de arte volvería a primer plano con la publicación de *El Museo Imaginario* de André Malraux en 1947.

El espacio-luz

"Moholy advirtió muy pronto que el espacio puede ser más fielmente traducido por medio de la luz". Esta afirmación pertenece al prólogo a la primera edición de *La Nueva Visión*, escrito por Walter Gropius.

Sus primeros experimentos con luz parten de la fotografía, fundamentalmente a través de su trabajo con fotografía sin cámara, los *fotogramas*, un medio que permite el acercamiento directo al efecto que la luz crea sobre el negativo. El trabajo con el fotograma se traslada a otras propuestas del autor y continúa con su implicación a nivel espacial. Es significativo que en el año 1934, Moholy-Nagy dé una conferencia en el Stedelijk Museum en Amsterdam bajo el título "De la pintura a la arquitectura de la luz".

En los primeros años veinte, las propuestas escenográficas actuaron como ámbito de investigación de los efectos de la luz en el espacio. En la Bauhaus, Kandinsky usaba luces de colores en los escenarios y existen interesantes propuestas de dispositivos eléctricos como el de *Juegos de luz coloreada* de Hirschfeld-Mack. Estos experimentos no eran únicamente visuales, sino que introducían también el sonido.

Moholy-Nagy también propone un dispositivo de luz que se conoce como *Modulador de espacio-luz*, un híbrido entre escultura y máquina que la empresa alemana AEG construye por primera vez para la exposición de la Werkbund de París y que posteriormente será una pieza central en la *Sala del Presente*. Nace como un mecanismo para una escenografía y sus efectos se basan en el movimiento mecánico de sus piezas y los cambios secuenciales de luces de colores que invaden el espacio que le rodea. El propio Moholy se atribuye la definición del concepto de *escultura cinética* a partir de este aparato.

Los primeros croquis datan de 1922 y los planos definitivos fueron elaborados por el ingeniero Sebök unos años más tarde. En *Retrato de un artista*, Moholy deja constancia de la importancia y fascinación que esta escultura ejerció en su trabajo: "Era una estructura móvil accionada por un motor eléctrico. En este experimento traté de sintetizar elementos simples por una superposición constante de sus movimientos. [...] Conocía de memoria todos sus efectos. Pero cuando el aparato fue puesto en movimiento por primera vez en 1930 en un pequeño taller mecánico, me sentí como el aprendiz del hechicero. El móvil era tan asombroso y sus movimientos coordinados y articulaciones espaciales en secuencias de luz y sombra, que casi creí en la magia".

En la escultura, Moholy experimenta con la *dualidad de volumen*: volumen material y volumen virtual. Los juegos de luz potencian la obtención del volumen virtual. El *Modulador* se presenta como "un mecanismo para demostrar el fenómeno de la luz y el movimiento"[29] y en relación a la dualidad escultórica, como estructura de metal y vidrio como volumen material y como realidad virtual a través de sus sombras. Se trata de un paso más en las experiencias con la fotografía y las estructuras lumínicas en el espacio.

Esta pieza, a pesar de ser un dispositivo escenográfico, sólo formó parte de espacios expositivos. En la exposición de Paris, el *Modulador* se coloca un una caja prismática de 1,20×1,20 de base en la que, mediante el accionamiento de un interruptor por parte del visitante, la escultura se ponía en movimiento y comenzaban sus efectos. Según testimonios de la época, en esta exposición la pieza no estaba a la vista, sino que la ocultaba una pantalla traslúcida, lo que no permitiría apreciar los movimientos del aparato, pero sí sus transformaciones lumínicas en el espacio. En la *Sala del Presente*, sin embargo, la escultura puede verse a través de una apertura circular en la parte frontal de la caja que la contiene, usando un sistema similar al de la proyección de películas. En este espacio, comparte protagonismo con los proyectores de fotografías, situándose en una posición central, en la que la caja destaca en altura con respecto a los demás dispositivos. Moholy recurre a los efectos de su movimiento y de las luces de colores cambiantes para hacer más intensa la experiencia del espacio. Atribuye a la luz el valor de influir en el inconsciente del espectador: "La luz posee un tremendo poder psicológico porque está tan profundamente inmersa en el resquicio más lejano de nuestra inconsciencia, y porque está tan íntimamente conectado con nuestra experiencia del espacio que casi es idéntico a él. Para que el espacio sea visible tiene que estar iluminado y con luz por tanto podemos evocar la experiencia espacial".[30]

Los experimentos con luz no son independizables de la fotografía y el cine. Si el fotograma representa el primer estadio de la investigación de sus cualidades, el cine es el medio ideal para mostrar sus efectos. Puede registrar de forma secuencial las transformaciones cinéticas y de luces y sombras. Esto es lo que trata de mostrar en su película *Efectos luminosos, blanco y negro y gris*, rodada en el año 1930 con el *Modulador*. Imágenes de este en movimiento reflejan de un modo abstracto los efectos que produce. Los cambios de color no pueden ser registrados pero sí los efectos de luces y sombras. Del mismo modo que El Lissitzky identifica el tiempo con la secuencia de movimientos, Moholy lo hace con la secuencia de cambios de luz en el espacio.

NOTAS

[1] MOHOLY-NAGY, L, "Cómo la fotografía revoluciona la visión", en: AA.VV., *László Moholy-Nagy. Fotogramas 1922-1943*.

[2] DELEUZE, G, "La materia y el intervalo según Vertov".

[3] GOUCH, M, "Constructivism Disoriented: El Lissitzky's Dresden and Hannover Demonstrationsraüme", en: PERLOFF; REED (ed.), *Situating El Lissitzky. Vitebsk, Berlin, Moscow*.

[4] GIEDION, S, "Live Museum 1929", en LISSITZKY-KÜPPERS, *El Lissitzky. Life-letters-texts*.

[5] CAUMAN, Samuel, *Living Museum: Experiences of an Art Historian – Alexander Dorner*.

[6] LISSITZKY-KÜPPERS, S, *El Lissitzky. Life-letters-texts*.

[7] BOHAN, R, *The Societé Anonyme's Brooklyn Exhibition. Katherine Dreier and Modernism in America*.

[8] OVERY, P, "Visions of the Future and the Immediate Past: The Werkbund Exhibition, Paris 1930", en: *Journal of Design History*, Vol. 17, n° 4, 2004.

[9] Archivo del Museo Sprengel de Hannover.

[10] AYNSLEY, J, ""PRESSA", Colonia, 1928. Diseño de exposiciones y publicaciones en la época de Weimar".

[11] AYNSLEY.

[12] RIBALTA, J (ed), *Espacios fotográficos públicos. Exposiciones de propaganda, de Pressa a The Family of Man, 1928-1955.*

[13] POHLMANN, Ulrich, "Los diseños de exposiciones de El Lissitzky. Influencia de su obra en Alemania, Italia y Estados Unidos, 1923-1943", en: RIBALTA (ed.).

[14] BUCHLOH, B, "De la "Faktura" a la Factografía", en: RIBALTA (ed.).

[15] STAM, M, "El Lissitzky's conception of architecture 1966", en LISSITZKY-KÜPPERS.

[16] LISSITZKY-KÜPPERS.

[17] EL LISSITZKY, "El Lissitzky: Espacios de Demostración", en: EL LISSITZKY, *1929. La reconstrucción de la arquitectura en la U.R.S.S.*

[18] VERTOV, D, "1926 April 12", en: MICHELSON, A (ed.), *Kino-Eye. The Writings of Dziga Vertov.*

[19] CAUMAN.

[20] VERTOV, D, "Consejo de los tres", en VERTOV, *Memorias de un cineasta bolchevique.*

[21] RIBALTA, J, "Introducción", en: RIBALTA (ed.).

[22] BAYER, H, "Aspects of design of exhibitions and museums".

[23] LISSITZKY-KÜPPERS.

[24] VERTOV, "Consejo de los tres".

[25] MOHOLY-NAGY, L, *Vision in motion.*

[26] MOHOLY-NAGY, L, "Cómo la fotografía revoluciona la visión", en: AA.VV., *László Moholy-Nagy. Fotogramas 1922-1943.*

[27] BOTAR, O, "El arte de la luz", en: *El arte de la luz.*

[28] Archivo del Museo Sprengel de Hannover.

[29] MOHOLY-NAGY, L, "Light-Space Modulator for an electric stage", en: PASSUTH, K (ed.), *Moholy-Nagy.*

[30] MOHOLY-NAGY, *Vision in motion.*

III.

EL ESPACIO CONTINUO

El *continuum* de Duchamp y el *endless* de Kiesler

El concepto de espacio continuo está presente en los proyectos de Frederick Kiesler desde sus primeras propuestas. Las ideas en las que trabaja a lo largo de su vida van evolucionando hasta configurar lo que él acuñó como *endless space*, el *espacio sin fin*. A partir de los trabajos escenográficos y las propuestas para montajes expositivos va tomando forma su teoría del *Correalismo* que, finalmente, culminará en el espacio continuo de la *Endless House*.

Marcel Duchamp, a su vez, desarrolla en sus notas el concepto del *continuum* como teoría del espacio. Se apoya en las ideas del matemático francés Henri Poincaré y el *Trait de geometrie* de Jouffret para definir el espacio con criterios topológicos frente a un entendimiento geométrico. Esta idea es la base, de una manera más intuitiva que científica, de sus planteamientos en relación al espacio expositivo. En los montajes de las exposiciones surrealistas celebradas en París en el año 1938 y en Nueva York en el 1942, los recursos usados por Duchamp en la conformación del espacio están en relación a este continuum, concepto también experimentado anteriormente en obras como el *Gran Vidrio*.

Frederick Kiesler y Marcel Duchamp han desarrollado un trabajo muy particular pero con aspectos coincidentes difícilmente explicables sin conocer los avatares de su propia relación personal. El nexo principal entre ambas propuestas se fundamenta en el sustento de sus ideas en conceptos vinculados con la percepción, aspecto muy presente los espacios expositivos de ambos autores.

Kiesler plantea, a través de su concepto de *endless*, los vínculos psicológicos con el espacio. La consideración de la interacción de cuerpo y mente con el objeto artístico y el espacio concluye con la construcción de la membrana que lo envuelve. Esta se genera a partir de la teoría de la percepción del propio autor, la *Vision-Machine*, con vínculos con las exposiciones surrealistas. Esta investigación forma parte de las que Kiesler desarrolla en su Laboratorio del Correalismo en la Universidad de Columbia, en Nueva York, durante los años 1937-41, y que culmina al año siguiente en el proyecto expositivo para la colección de Peggy Guggenheim, *Art of this Century*. En esta exposición, coloca unos dispositivos mecánicos para ver obras de arte a los que llama propiamente *Vision-Machines*, pero también el espacio de la *Sala Surrealista* se ha de explicar a partir de las ideas de esta teoría perceptiva aplicadas al espacio.

El continuum de Duchamp se expresa en sus montajes expositivos a través de la construcción del vacío, en un planteamiento efímero e informe en el que la incentivación de la interacción del espectador con la obra y la sala, se convierte en la propia materialización del espacio. *First Papers of Surrealism*, que tuvo lugar en Nueva York en el año 1942, representa la culminación de este concepto espacial llevando al extremo la idea anteriormente expuesta.

La *Exposición Internacional del Teatro* en Viena y *Art of This Century* de Kiesler

En el año 1924 se celebra en el Koncerthall de Viena la *Exposición Internacional de nuevas técnicas teatrales* (*Internationale Ausstellung neuer Theatertechnik*), comisariada por Frederick Kiesler. Se combina la exposición con un programa de eventos en paralelo. Viena se convierte en el centro de las experiencias teatrales más vanguardistas e innovadoras de Europa. Junto a propuestas del propio autor, se pueden ver proyectos escenográficos de constructivistas rusos o autores italianos que fueron recogidos en el catálogo que el propio Kiesler diseñó para la muestra.

La exposición ocupa la Sala Schubert del Koncerthall, mientras que en otros espacios tienen lugar representaciones teatrales. En la Gran Sala se retiran las butacas y el centro está ocupado por un nuevo escenario, el *Endless Theatre* de Kiesler. Aquí se representaban obras con carácter experimental en las que la relación entre público y actores se producía de forma directa, y el concepto de escena del teatro clásico se transformaba en una rampa continua en la que los actores se iban moviendo de acuerdo al nuevo planteamiento escenográfico. El carácter innovador de toda la muestra se extiende a otras disciplinas, como el estreno de la pieza cinematográfica el *Ballet Mécanique* de Fernand Léger. Durante la exposición, Viena atrae a destacados miembros de las Vanguardias. Además de Léger, que se desplaza desde París, visitan la ciudad personajes claves en la internacionalización de los últimos movimientos artísticos, como Theo van Doesburg.

En la exposición se muestran láminas de dibujos, fotografías y maquetas de escenografías. Kiesler construye unos dispositivos con barras y listones de madera, que denomina L y T, según la formalización de cada elemento, para mostrar todas las piezas. Estos elementos expositivos, en concreto 12 de tipo L y 6 de tipo T,[1] se distribuyen en la sala, atendiendo únicamente a la norma genérica de mantener distancias aproximadas entre 1,5 y 2 metros. Cada estructura funcionaba independientemente mediante un equilibrio de elementos tensados, de forma que podían colocarse sin dependencia estructural con la sala. Son el precedente a la estructura tensionada de la *Ciudad en el Espacio* que Kiesler construye para Paris. Sin embargo, en Viena, la materialización de las piezas nos remite a las propuestas constructivistas, por ejemplo, a las esculturas mostradas en la exposición de *Obmokhu* de 1920 o a las propuestas arquitectónicas tensionadas de Leonidov. Para reforzar la referencia a las propuestas rusas, Kiesler usa colores suprematistas en el montaje: rojo, gris y negro. Además de estos soportes tipo, construye un *paternoster* que permite acumular diversos objetos que se van mostrando alternativamente con la rotación del dispositivo.

Esta exposición supone el inicio del trabajo de Kiesler en el espacio expositivo y una referencia que citará a lo largo de su vida como el primero de sus experimentos en este ámbito y base de sus ideas. En la nota de prensa de *Art of This Century*, celebrada en Nueva York en el año 1942, se dice: "Se ha intentado resolver un nuevo sistema de co-ordinación de la arquitectura con la pintura y la escultura y su co-ordinación con el espectador. Esta nuevo sistema de correlación es un método de "exposición espacial", inaugurado por Kiesler en 1924 en Viena y que se sigue en París 1925, y en Nueva York en 1926, 1933 y 1937 en la Universidad de Columbia".[2]

Art of This Century es el nombre que Peggy Guggenheim da a la galería que abre en Nueva York, en el séptimo piso del 28-30 de la Calle 57 Oeste. Este pequeño museo debía albergar su propia colección de obras de arte, que había conseguido trasladar desde la Europa en guerra hasta los Estados Unidos, además de un espacio para exposiciones temporales. En Nueva York, contacta con Kiesler y le encarga el proyecto. El arquitecto acepta el encargo y propone la distribución de la galería en varios espacios: la *Sala Surrealista*, la *Sala Abstracta*, una *Biblioteca de Pintura* y *Sala de Luz Natural* para exposiciones temporales, la *Galería Cinética* y almacenes.

En la *Sala Surrealista*, Kiesler construye dos muros curvos con paneles de madera y un techo plano colgado que envuelven el espacio. De estos muros, salen unos brazos articulados de madera en los que se fijan las pinturas. El acceso a la galería se produce por la *Sala Abstracta*. En esta, los cuadros se mostraban completamente separados de los muros mediante un liviano sistema de cuelgue formado por una pieza de madera con los anclajes de las pinturas sujetadas por cintas blancas que las fijaban al suelo y al techo.

La *Galería de Luz Natural* ocupaba todo el largo de la fachada principal del edificio. Los grandes ventanales se protegían con unos filtros que permitían la iluminación natural de las piezas de las exposiciones temporales. Este mismo espacio estaba invadido por unos muebles que constituían la *Biblioteca de Pintura*. Actuaban como soportes para la acumulación de piezas de pintura, de manera que el espectador, sentado frente a ellas, podía cogerlas con sus propias manos e ir seleccionándolas, como si de libros se tratase. La *Sala Cinética* no es propiamente una sala, sino una serie de mecanismos que se ubican en varios espacios. La espiral de Duchamp mostraba de forma secuencial, a través de un óculo y mediante la rotación de una espiral por parte del espectador las reproducciones de las obras de su *Boîte-en-Valice*. Se sabe, por descripciones del momento, de la existencia de otro mecanismo tipo *paternoster* con pinturas de Paul Klee. Otra de las *Vision-Machines* ocupaba el muro de separación entre la *Sala Abstracta* y la *Sala de Luz Natural*. En este aparato, podía verse al inicio una pintura de Paul Klee, el *Jardín Mágico*, pero cuando Kiesler publica un esquema de esta pieza en

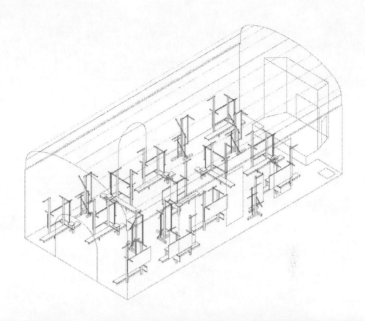

10a/b. *Exposición Internacional del Teatro* en Viena.

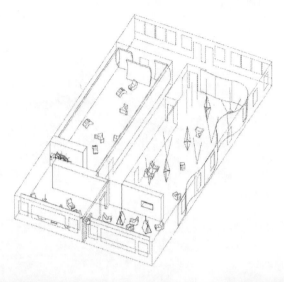

11a/b. *Art of this Century.*

la revista *VVV*, la muestra con una obra de André Breton, el poema-objeto *Retrato del Actor A.B.*

Art of This Century acogió un programa de exposiciones temporales con un gran valor histórico, como la de Jackson Pollock en 1943: *Primera Exposición - Pinturas y Dibujos*, que convirtieron a la galería en una de las más activas de la ciudad. En el año 1947, Peggy Guggenheim decide cerrarla y con ello, desmontar toda la instalación trasladando su colección de nuevo a Europa.

Las exposiciones surrealistas de Marcel Duchamp

En el año 1938 la Galerie Beaux-Arts de Paris acoge la *Exposición Internacional del Surrealismo* (*Exposition Internationale du Surréalisme*), que pudo visitarse entre el 17 de enero y el 22 de febrero.

No se trata de la primera exposición surrealista, aunque sí de la primera que considera el espacio de exposición como objeto de proyecto. En la del año 1936, organizada por Alfred J. Barr en el MOMA de Nueva York, se muestran obras surrealistas en un ambiente de neutralidad espacial próximo al *white cube*. La exposición de París, se plantea como un claro rechazo a esta concepción expositiva y propone un ambiente que interpreta las máximas del espacio surrealista.

André Breton y Paul Éluard fueron los comisarios de la muestra y encargaron a Marcel Duchamp la organización de la sala principal y el corredor de acceso. Conviene aclarar que Duchamp nunca se vinculó de forma oficial al Surrealismo. Sin embargo, Breton afirmaba: "Su principal organizador y director fue Marcel Duchamp, quien había siempre disfrutado de un inigualable prestigio en los ojos Surrealistas".[3]

Dalí y Ernst actuaban como consejeros de la exposición. La Galería de Beaux-Arts estaba situada en el número 140 del Boulevard de Saint-Honoré. El acceso se producía a través de un pasillo que conducía al patio interior de la manzana donde estaba la entrada a la galería. Dalí colocó frente al acceso principal un taxi de París

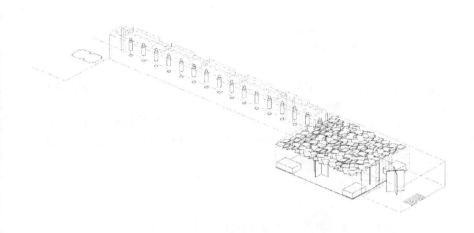

12a/b. *Exposición Internacional del Surrealismo* en París 1938.

13a/b. *First Papers of Surrealism.*

con dos maniquíes dentro y con el interior totalmente mojado por agua, como si lloviese dentro del coche. A continuación, entrando en la galería, un largo pasillo conducía a la sala principal. En este, 16 maniquíes femeninos colocados al lado izquierdo del corredor fueron intervenidos cada uno por un artista. En la sala principal, Duchamp construyó un techo de sacos de carbón, *1200 sacos de carbón*, un suelo de arena, hojas secas y una zona con agua estancada. Situó cuatro camas en la habitación y unas estructuras formadas por puertas a modo de soporte para las pinturas. En el centro, un brasero eléctrico era la única iluminación. La sala contigua fue organizada por Georges Hugnet respetando el ambiente general creado por Duchamp. Se mostraban unas 250 obras de 60 artistas diferentes.

Después de la experiencia realizada en París, Elsa Schiaparelli, la diseñadora de moda neoyorkina, invita a Marcel Duchamp a realizar el montaje de la exposición surrealista en el número 451 de Madison Avenue a beneficio de los prisioneros de guerra. La exposición tuvo lugar entre el 14/15 de octubre y el 7 de noviembre de 1942. André Breton fue el encargado de reunir las obras y en la invitación que envía a los artistas explica que "Marcel Duchamp se ocupará de la puesta en escena".[4]

La exposición estaba promovida por el *Coordinating Council of French Relief Societies, Inc*, en beneficio de los prisioneros de guerra, y el título incide en la condición de inmigrantes de los exiliados en Nueva York, con alusión a los primeros papeles: *First Papers of Surrealism*.

La cuestión de identidad caracteriza el catálogo que también diseña Duchamp, en el que incluye a modo de falsos retratos personales (*compensation portraits*) fotografías que cada artista elige como representación propia. A modo de curiosidad, es increíble el parecido físico del retrato seleccionado por Duchamp con él mismo. Se trata de una fotografía tomada a una campesina desconocida, lo que remite al juego de identidad sexual que Duchamp hace con su *alter ego*, Rrose Sélavy.

El espacio en el que se realiza la exposición, está situado en la planta primera de la Whitelaw Reid Maison, un edificio neoclásico tipo palacio florentino. La sala principal tenía unos grandes candelabros que destacaban en el espacio. Duchamp instala la mayor parte de las pinturas en unos soportes independientes de la pared, a modo de paneles sobre pies de madera. A continuación, invade el espacio vacío con cuerda blanca que cruza de unos paneles a otros y cuelga del techo, dando forma a una instalación que Duchamp denomina *Dieciséis millas de cuerda*.

EL ESPACIO PSICOLÓGICO

La *Endless House* como conclusión

La *Endless House* representa la culminación del concepto espacial que Frederick Kiesler fue desarrollando a lo largo de toda su vida. En la entrevista realizada por Thomas Creighton en el año 1961: "¿Cuándo concibió la Endless House?", Kiesler responde: "Había comenzado a concebir la Endless House para el Festival de Teatro y Música de la Ciudad de Viena, que comenzó en Mayo de 1924, incluso antes del Optophon y de la Ciudad en el Espacio".[5]

El concepto de *endless* fue evolucionando desde sus primeros proyectos hasta esta propuesta que se expuso por primera vez en forma de maqueta de unos dos metros y medio de largo en los jardines del MOMA en Nueva York en el año 1959, en una exposición titulada *Arquitecturas Visionarias* y comisariada por Philip Johnson.

Kiesler apenas construyó edificios. Salvo el *Guild Cinema* en el momento de su llegada a Nueva York y el *Shrine of Books* en Jerusalén al final de su vida, sus propuestas arquitectónicas quedaron en el papel. La *Endless House*, sin salir del espacio expositivo, supuso la oportunidad más próxima a la materialización arquitectónica del concepto de continuidad *kiesleriana*.

El *Manifiesto del Correalismo*, publicado en *Architecture d'aujord'hui* en el año 1949, podría parecer a primera vista un compendio de los proyectos de Kiesler explicados bajo la idea que preside el conjunto, el *correalismo*. Una mirada más atenta nos permite interpretar que todo el manifiesto trata de explicar la *Endless House* como proyecto síntesis de los realizados por Kiesler hasta este momento. De hecho, es la primera vez que habla de forma explícita de este proyecto, aunque su formalización en estos momentos es un esferoide abstracto. Dadas las referencias directas a las que atribuye su origen, podemos fijar como la fecha de inicio claro de la concreción formal de este proyecto el año 1948. En unos croquis no publicados

14. Maqueta de la *Endless House*.

que conserva la Fundación Kiesler de Viena, el arquitecto presenta la *Endless House* como un esferoide dividido en dos mitades, en las que se indica "The Space-House New York" en la izquierda y "Paris", en la derecha.

La primera referencia, la *Space-House*, es una maqueta a escala real de una vivienda construida para la exposición de la *Modernage Furniture Company* en Nueva York en el año 1933. La segunda, "París", podría remitir a varios proyectos, pero por la forma orgánica que reproduce, se refiere a la *Sala de las Supersticiones* del año 1947.

En el manifiesto se desarrollan las ideas que darán forma al proyecto de la *Endless House* y que proceden fundamentalmente de sus experimentaciones en el espacio expositivo.

La *Space House*, *Endless* en lo doméstico

La *Space House* es el primer proyecto de vivienda del arquitecto y nace como una crítica al funcionalismo estricto del Movimiento Moderno. Esta se basa en que el funcionalismo no tiene en cuenta "la interrelación del cuerpo con su ambiente: espiritual, físico, social, mecánico".[6] Su propuesta reclama la introducción del aspecto psicológico en la arquitectura. Su rechazo a las determinaciones estrictamente funcionales lo sigue manteniendo en 1961, cuando escribe: "Funcionalismo es determinación y por lo tanto nació muerto. El funcionalismo es la normalización de la actividad rutinaria. Por ejemplo, un pie que camina (pero que no baila), un ojo que ve (pero no mira), una mano que agarra (pero no crea)".[7]

En la *Space House*, el esferoide del *Endless Theatre* es la base formal del proyecto, en rechazo al ángulo recto. Este ensayo en el espacio nos remite al concepto de *Raumplan* de Loos. La relación de Kiesler con Loos no está muy clara, aunque él afirma que trabajó en el estudio del maestro austríaco. En cualquier caso, Loos propone un nuevo concepto basado en el trabajo en el espacio, no en superficie. Aunque la casa de Tristan Tzara en París data de los años 1925-6, Loos trabaja en esta idea desde la construcción de la Casa Sheu en Viena en 1912-3 y ya en el 1910 habla sobre su nuevo método de proyecto: "Habría hecho algo para enseñar, principalmente la solución para la división del salón en el espacio, no en la superficie, como se ha hecho de piso a piso hasta ahora. [...] es la gran revolución en arquitectura: la solución de un plano en el espacio. Antes de Immanuel Kant la gente todavía no podía pensar en el espacio, y los arquitectos estaban obligados a hacer el aseo tan alto como el comedor".[8] El *Raumplan* no sólo propone alturas específicas para cada zona de la vivienda, sino que implica la abolición de la división estricta de espacios, singularizando zonas a través de recursos como la variación en altura y el uso específico de los materiales. La componente psicológica del espacio en la que Kiesler basa sus propuestas ya está presente en Loos cuando afirma: "El espacio que ha de provocar efectos y despertar emociones en el hombre: la tarea de la arquitectura consiste en precisar estas emociones".[9]

En la *Space House*, Kiesler anticipa otra de las ideas clave en su concepción espacial: el arte integrado en la pared, el mural. Un gran mural ocupa una de las paredes del espacio principal de la casa, desmaterializando los límites entre la pintura y el muro. Esta será una de las premisas para la construcción de la membrana que definirá el espacio del cuerpo humano.

El espacio de la percepción

Croquis y fotografías de la *Sala de las Supersticiones* constituyen una parte importante del *Manifiesto del Correalismo*. Kiesler presenta este espacio expositivo como la culminación de sus ideas hasta el momento y siempre aludiendo a su aplicación en el ámbito doméstico, confirmando su carácter experimental como ensayo para el espacio de la *Endless House*. En el catálogo de esta exposición, publica el texto *La arquitectura mágica de la Sala de las Supersticiones*. Las dos ideas que definen el concepto de arquitectura son la unión de las artes y la consideración de las necesidades de la psique, además de los cinco sentidos.[10]

Estos dos mismos aspectos son los que habían definido en el año 1942 la arquitectura de *Art of This Century*: La unión de las artes: "Se ha intentado realizar un nuevo sistema de co-ordinar arquitectura con pintura y escultura y su co-ordinación con el espectador";[11] el efecto psicológico del espacio en el individuo: "Es el principio de unidad, unidad primordial, la unidad entre la conciencia creativa del hombre y su ambiente diario lo que gobierna la presentación de pinturas, esculturas, muebles y recintos en estas cuatro galerías".[12]

La evolución formal de la *Sala Surrealista* de *Art of This Century* a la *Sala de las Supersticiones* se puede entender a través de los croquis de *Florecimiento del espacio* (*Raumblüten*) como estado intermedio.

En los *Raumblüten*, previos a la exposición de París, los muros laterales y superior que configuran el espacio de *Art of This Century* se desprenden de la lógica horizontal-vertical y eclosionan libremente en el espacio, con independencia del contenedor existente. La propuesta definitiva para la *Sala Surrealista* de París se acota en el espacio dado, aproximadamente un cubo, pero la configuración básica responde a dos elipses abiertas que abrazan el espacio interior a modo de envolvente.

En las salas de *Art of This Century*, Kiesler pone a prueba la teoría de la *Vision-Machine* y sus hallazgos sobre la percepción. El espectador se involucra como parte fundamental en la creación de las piezas que se exponen y en la vivencia del propio espacio. En particular, en la *Sala Surrealista*, la *Vision-Machine* se aplica al espacio, poniendo de manifiesto el papel activo del espectador considerando su cuerpo y su mente en el proceso de percepción.

"La Forma no resulta de la Función. La Función resulta de la Visión. La Visión resulta de la Realidad."

Esta es la premisa de la que Kiesler parte en el *Manifiesto del Correalismo* como base para la creación, afirmación que parte de la *Vision-Machine*, la investigación sobre la percepción que Kiesler desarrolla entre los años 1938 y 1941 en el Laboratorio de Diseño del *Correalismo* en la Universidad de Columbia en Nueva York.

El objetivo de este instituto, fundado por él en el año 1937, es el de realizar una investigación sobre el comportamiento humano y las condiciones psicológicas para aplicar al diseño. Se busca dar una respuesta científica a la creación artística. La *Vision-Machine* pretende ser la base del entendimiento de la creación plástica y, por tanto, poder aplicarse en el proceso creativo con fines productivos. En este estudio, Kiesler establece una relación directa entre el contexto de cada época y su producción artística, ligados por la forma de percibir.

15a/b/c. *Sala Surrealista* de *Art of this Century. Raumblüten. Sala de las Supersticiones.*

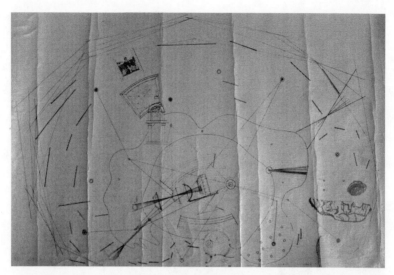

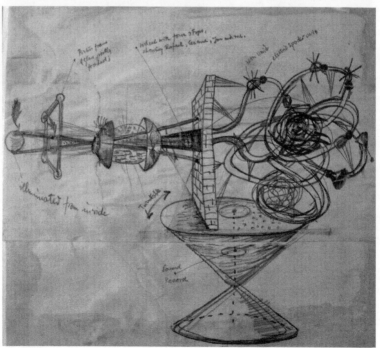

16a/b. *Visión-Machine*: exposición y aparato.

La *Vision-Machine* estudia el proceso de la percepción humana, partiendo del objeto real y explicando cómo se origina la imagen final. En primer lugar, distingue entre distintos tipos de imágenes en el proceso de visión. La imagen final que se forma en nuestra mente no se corresponde exclusivamente con los estímulos provenientes del objeto real, sino que se produce por los efectos combinados de los distintos tipos de visión. De esta investigación se concluye que la imagen que se crea en nuestro cerebro no es un resultado mecánico, sino mediada por un proceso creativo, en el que influyen diversos factores, como la tradición. También se afirma que el ojo no es el único medio receptor en el proceso de percepción, ya que los estímulos que el cuerpo recibe del ambiente en el que se encuentra, determinan el resultado final de lo percibido. Kiesler afirma que el artista es el individuo que tiene la capacidad de plasmar lo que ve. Esto explicaría las variaciones entre distintos estilos artísticos porque en cada estilo, en cada época, la manera de percibir es distinta.

Kiesler propone la construcción de un aparato mecánico que muestra el proceso de percepción. Se ubicaría en el centro de una exposición sobre la *Vision-Machine*. Este espacio estaría limitado por una membrana en la que se integrarían piezas representativas de distintos estilos.

En la teoría de la *Vision-Machine*, el Surrealismo es el estilo de mayor intensidad perceptiva a lo largo de la historia, ya que establece una interacción con el espectador que involucra todos los sentidos y su reacción psicológica. La *Sala Surrealista* de *Art of This Century* es el espacio de la percepción de la *Vision-Machine*, de forma que experimenta con todos los aspectos considerados en su teoría.

El ambiente sugestionado

En la *Vision-Machine*, el autor establece un esquema jerarquizado de los distintos grados en los que afectan los sentidos o la mente en la percepción. La consciencia es la mayor, seguida por la vista, el oído y finalmente, el tacto.

La relación de Kiesler con los principios del Surrealismo se evidencia en esta teoría, no sólo por el dominio explícito de la mente en el proceso de percepción, sino también en cuanto a la intensificación de la experiencia espacial. Los espacios expositivos surrealistas también consideran todos los sentidos, especialmente a partir de la *Exposición Internacional* de París de 1938, con la intervención de Marcel Duchamp. En esta sala crea un ambiente que busca sugestionar a los espectadores recurriendo a la intensificación de los estímulos sensoriales.

La iluminación es uno de los tres elementos en la *Vision-Machine*, identificada como *fuego*. Es este un aspecto especialmente cuidado en las propuestas de Kiesler. En este caso, sin embargo, tiene una connotación especial como recurso para la sugestión del espectador. En contraste con la *Sala Abstracta*, donde la iluminación es continua y difusa, en la *Sala Surrealista*, se utilizan focos puntuales e intensos, dramatizando el ambiente. Además de tratarse de focos puntuales, la iluminación no es constante sino que establece una secuencia de apagado y encendido que va iluminando parcialmente la sala, de forma que mientras unas piezas pueden verse, otras permanecen en la oscuridad. Este sistema de intervalos de luz parte de la *Vision-Machine*. En los mecanismos construidos en *Art of This Century*, se sitúa el foco en el interior de las cajas con un temporizador que se activa a intervalos, al ritmo que espectador marca pasando las imágenes. La iluminación se mantiene durante unos segundos y luego se apaga. Kiesler trata de hacer consciente al espectador de su propia mirada cuando la iluminación lo permite, y a su vez, juega con mecanismos eidéticos basados en la capacidad memorística del espectador para estimular la percepción de la obra de arte y el ambiente.

Existe un precedente en la *Exposición Surrealista* de París del 1938, en una operación con un carácter más informal. En la sala desarrollada por Duchamp no existe iluminación natural y la única fuente lumínica es un brasero situado en posición central que contiene unas bombillas eléctricas, simulando un fuego hecho con el carbón de los sacos que invaden el techo. Cabe recordar que Kiesler denomina *fuego* a la iluminación en su investigación. El resto del espacio estaba completamente a oscuras. Para contemplar cada una de las obras, era necesario que cada espectador portase su propia linterna, distribuidas por Man Ray el día de la inauguración. De esta manera, cada uno iba enfocando la pieza que observaba y la percepción se producía en fases alternas de visión directa e imágenes memorísticas. La idea original de Duchamp, no realizada, se aproxima a la instalación eléctrica de Kiesler aunque con algunas diferencias. Pretendía iluminar con un sistema eléctrico de *ojos mágicos* que se activaría puntualmente en cada parte por la presencia de los espectadores y se apagaría automáticamente al desplazarse.

La incidencia de los otros sentidos en la *Sala Surrealista* de Kiesler es menor, aunque se consideran algunos de ellos. El oído es el siguiente sentido en los grados de percepción definidos en la *Vision-Machine*. En la *Sala Surrealista*, se escuchaba el ruido de un tren acercándose a intervalos de dos minutos. Este efecto, ayudado por la semioscuridad de la sala y la forma de túnel, llegó a provocar escenas de pánico entre los espectadores por lo que fue eliminado a los pocos días de la inauguración. Aunque con una incidencia menor, la componente táctil de los materiales usados en el espacio no puede obviarse. La utilización de la madera en los paneles curvos y en el techo contrasta con las paredes existentes, pintadas en negro. No se trata, sin embargo, de la intensidad sensorial con que Duchamp trata la sala principal de la exposición de París del 38, donde crea un ambiente fenomenológico. El día de la inauguración, los sonidos invadían el espacio con la actuación de Helene Vanel, que se mezclaba con los sonidos de los espectadores contemplando las obras de arte. Existía un fuerte olor a café que el poeta Péret había traído y se notaba la presencia del polvillo que flotaba en el ambiente proveniente de los sacos vacíos de carbón situados en el techo y de la amalgama de arena y vegetales que tapizaban el suelo. Las sensaciones sensoriales se complementaban creando un ambiente de inseguridad. Así lo describe el propio Duchamp: "sacos de carbón en el techo provocaron un poco de pánico antes de la inauguración –e incluso esa noche– estaba "científicamente" demostrado que el polvo de carbón produce gas y el más ligero roce con este gas significa fuego".[13]

La integración de las artes

"El término 'correalismo' expresa las dinámicas de inter-continuo entre el hombre y sus ambientes naturales y tecnológicos".[14] En ese ambiente integrador se incluye también la integración de las artes. El título completo del manifiesto es ilustrativo en este sentido: "*Manifiesto del Correalismo* o los estados unidos del arte plástico". Probablemente esto proviene de sus años de formación en Viena en relación directa con los autores de la Secession y su búsqueda de la integración de las artes.

Kiesler no sólo trata de crear un ambiente en el que se integren las distintas disciplinas artísticas, sino que estas pasan a perder su independencia. Así lo explica: "En el mundo correalista pueden transformarse (los elementos de la arquitectura: Superficie, Color, Forma, Luz, Sombra, etc...) sin perder su integridad: el cuadro al convertirse en arquitectura, la escultura al convertirse en cuadro y la arquitectura al convertirse en color. Para realizar transformaciones tan extraordinarias no necesitamos un ciclotrón sino dos Magos y un Objeto: el artista, el espectador y la obra. De la infraestructura de estos tres elementos en el espacio atómico nace entonces esta transformación de lo Visual: la nueva creación del Correalismo".

Tanto en la exposición de París de 1938 de Duchamp como en la *Sala Surrealista* de Kiesler en Nueva York, se identifica una envolvente discontinua que permite establecer nuevos límites en la sala, independientes de los existentes para conformar un nuevo espacio en relación a las obras expuestas. En este sentido, sobre todo la sala de París, tiene una deuda con el *Merzbau* de Schwitters. Comenzado a construir en Hannover en el 1923, crea una envolvente informe dentro del espacio existente a partir de los objetos que el autor sitúa en todos los paramentos y en el techo.

En el *Manifiesto del Correalismo*, Kiesler explica como en *Art of This Century* extrae los marcos a las pinturas dejando que estas floten libremente en el espacio. En la *Sala Surrealista*, dispone unos brazos articulados de madera que, anclados en los muros curvos hacen que el cuadro que muestran avance hacia el espectador, liberándose de la referencia a los soportes e integrándose en el espacio. Toma como referencia las cuevas del hombre primitivo en las que las pinturas no están enmarcadas y forman parte del conjunto integrándose con la vida de ese espacio.

En la *Sala de las Supersticiones*, la idea de integración se lleva al extremo. En los primeros croquis se puede apreciar el cuadro separado del muro con forma de envolvente y continua, siguiendo lo iniciado en Nueva York pero en la configuración final, los cuadros y las esculturas se han fundido con la envolvente dando lugar a una nueva piel.

La integración de las artes se lleva a cabo a partir de la relación entre el objeto artístico, el espacio y el espectador y, por tanto, en el espacio expositivo. Este concepto se trasladará al espacio doméstico. Los objetos de arte integrados en la arquitectura son la base para la generación del estado psicológico idóneo del usuario, tema en el que, según Kiesler, la vivienda del Movimiento Moderno ha fracasado.

La envolvente del cuerpo: la segunda piel

En el artículo "On Correalism and Biothecnique. Definition and a new approach to building design", Kiesler propone un acercamiento *biotécnico* como medio de aproximación al diseño. Conocer y reconocer el cuerpo humano abre nuevos frentes de aproximación al diseño que considera la arquitectura como una segunda piel.

Las raíces de la arquitectura de Kiesler como organismo hay que buscarlas en el Surrealismo, cuyos autores creaban sus piezas con elementos arquitectónicos antropoformizados. La maqueta de la *Endless House* incorporaba materiales orgánicos en la construcción de la membrana de cerramiento. En la *Space House* de 1933, ya empleaba materiales naturales poco comunes en la construcción de interiores: paja, esponja de caucho, etc., apelando a su influencia psicofuncional.

El cuerpo determina también la percepción. La *Vision-Machine* contempla el sistema muscular como un agente activo en la percepción de las obras de arte. Para *Art of This Century* propone una serie de mobiliario, las *herramientas correlistas*, que responden al siguiente planteamiento: "La correlación conscientemente realizada entre el muro, la imagen y el espectador tiene otras consecuencias: poder apreciar verdaderamente una obra, el cuerpo no debe agotarse estacionado o en vaivén. Hay que poder sentarse delante, inclinarse hacia atrás o incluso tenderse completamente. Por eso he buscado una especie de forma de asientos que ha podido cumplir estas condiciones. Formas-Reposo".[15]

Desarrolla una serie de piezas construidas en madera y linóleo con formas orgánicas y que permiten, por su flexibilidad de uso, múltiples funciones. Por ejemplo, el *rocket* puede colocarse como soporte de piezas o asiento de personas, llegando a cubrir 18 funciones diferentes. Su flexibilidad le permitiría improvisar un auditorio de 150 personas en las galerías. La disposición de estos elementos, que siguen la forma del cuerpo humano para poder sentarse o reclinarse a modo de *chaiselong*, da forma al espacio de la *Sala Surrealista*, en concreto, al plano del suelo. Kiesler trata este plano como parte de la envolvente que configura los muros y el suelo, completándola con estas piezas antropomórficas, que suponen un precedente a la membrana de la *Endless House*. En el espacio doméstico, el mobiliario está integrado en la propia envolvente y esta se va adaptando formalmente a la posición idónea del cuerpo para realizar una función. La idea va evolucionando hasta la asimilación de la membrana de cerramiento al cuerpo. En los años 60, Kiesler trabaja en varios proyectos en los que el cerramiento exterior es una envolvente orgánica. En 1964 construye *Bucephalus*, una escultura de un caballo en la que el espectador se mete en el interior. La construcción consiste en una membrana de hormigón sobre una malla metálica con forma orgánica y como resultado se obtiene una piel que crea un ambiente para la meditación. Kiesler escribe un poema en el interior de esta especie de cavidad para el cuerpo, como si de una cueva primitiva se tratase.

El cerramiento de la *Endless House* también tiene propiedades biomórficas y se ha de entender como una piel más de nuestro organismo. Afirma Kiesler en el Manifiesto: "La casa no es una máquina. Ni la máquina una obra de arte. La casa es un organismo vivo y no solamente un conjunto de materiales muertos: vive en su totalidad y en sus detalles. La casa es una piel del cuerpo humano".

CONSTRUCCIÓN DE LO EFÍMERO

Rompiendo las reglas

La inversión de significados es habitual en toda la obra de Duchamp, tanto en sus piezas artísticas como en los montajes expositivos. Los *ready-mades* despojan al objeto original de su función y lo dotan de nuevos contenidos introduciéndolo en un nuevo contexto. Cuando Duchamp acondiciona el primer museo de la *Societé Anonyme SA* en un piso en Nueva York en 1920, transforma el espacio doméstico en espacio museístico manteniendo las huellas de lo anterior. Su intervención consiste en el pintado de las paredes en un blanco azulado y el recubrimiento del suelo con goma gris. Duchamp enfatiza el contraste entre el uso privado y el público descontextualizando los objetos y los espacios. No borra las referencias a su anterior uso, como la chimenea o mobiliario de mimbre más propio de una vivienda que de un espacio de uso público, y en la primera exposición que se monta en estas salas, retira los marcos de las pinturas y los substituye por un borde de ganchillo que remite al espacio íntimo de una alcoba.

El *Gran Vidrio* se construye como un doble panel autosustentable. Cuando se expone por primera vez en la *Exposición Internacional* de Brooklyn, Duchamp da claras instrucciones sobre su colocación. El panel doble de vidrio se sitúa a continuación de un tabique perpendicular al muro principal de la sala y en planta se coloca en diagonal para forzar la visión del Gran Vidrio con una serie de cuadros por detrás. A su vez, esta inclinación le confiere independencia con respecto a la sala del museo. Esta separación de los muros tradicionales se repetirá en los montajes expositivos de Duchamp. Aparte de la separación física entre soportes y muros, el contraste de materiales utilizados para la generación de un nuevo espacio, marca las distancias con la institución. Duchamp recurre a materiales efímeros frente a la permanencia de la arquitectura existente, descontextualizados en su uso, siguiendo esquemas tensionados y flotantes frente a la gravedad de lo establecido y destacando la ligereza de los elementos frente al peso institucional.

En la *Sala Abstracta* de *Art of This Century*, Kiesler retoma la construcción de soportes independientes para que las piezas *floten* en el espacio, ya ideada para la Exposición Internacional del Teatro de Viena en 1924. En este caso, transforma los sistemas L y T en estructuras ligeras formadas por cintas que se anclan a suelo y techo y soportes de madera ubicados a distintas alturas para colgar las pinturas, liberadas a su vez de los marcos. Usa un sistema similar para colocar algunas esculturas, combinándolo con los muebles *correalistas* que sirven de base a otras.

Las salas de la galería de Guggenheim se abren al público una semana más tarde que la exposición de Duchamp. *First of Papers* tiene una estrecha relación con la Sala Abstracta de Frederick Kiesler. Por una parte, Duchamp construye unos soportes verticales para las pinturas, colgando sólo cuatro cuadros en los muros. Estos paneles independientes se anclan a unos pies derechos que se apoyan en el suelo. En la exposición de París del 1938 había usado unas estructuras independientes formadas por puertas a modo de paneles. En *First Papers*, Duchamp cruza el espacio vacío entre los paneles con cuerda blanca que también invade el techo de forma laberíntica. Existen numerosas interpretaciones sobre el significado de la cuerda de Duchamp. En cualquier caso, a nivel espacial, la cuerda aparece como un obstáculo para acercarse a las pinturas. Aunque la maraña de cuerdas estaba localizada en puntos concretos y no invadía toda la sala, su presencia protagoniza todo el espacio.

Maya Deren materializa la relación formal de *First Papers* con la Sala Abstracta de Kiesler cuando en su película *Witch's Cradle* (1943), rueda una escena síntesis entre las dos. Situada en el espacio de *Art of This Century*, con las cintas y los soportes sin pinturas y con alguna escultura, las cuerdas de Duchamp completan la escena construyendo un laberinto que invade todo el espacio y construye el vacío.

Duchamp revoluciona el espacio expositivo y lo hace explícito en el ejemplar de marzo de 1943 de la revista *VVV* cuando publica una fotografía de la sala girada 180°, rompiendo todas las convenciones.

La *bloosoming perspective*

La arquitecta Penelope Haralambidou describe la *blossoming pers-pective* como: "El término de Duchamp "blossoming" [en eclosión] sugiere el paso del plano a una dispersión de partículas".[16] Haralam-bidou recurre a esta idea para explicar *Étant Donnés*, la obra póstuma y síntesis de Marcel Duchamp. Haralambidou construye una maqueta explicativa de las líneas de visión en esta pieza, representando el ori-gen en los dos óculos a través de los que se mira en la puerta y mar-cando la dispersión de puntos finales de visión. En medio, la apertura con forma irregular a través de la que se ve la escena final aparece como un elemento material que fija un plano intermedio.

El "ver a través de" nos recuerda a la *Vision-Machine* de Kiesler, con la que Étant Donnés tiene una deuda evidente, de la misma forma en que la *Vision-Machine* tiene a su vez un vínculo claro con el *Gran Vidrio* de Duchamp. Una parte del mecanismo que Kiesler construyó en la pared de la *Sala Abstracta* de *Art of This Century* es una alusión directa a la obra de Duchamp, cuando abre en el muro una ventana de vidrio y sitúa dos obras flotando en el paño transparente, una pintura de Schwitters hacia un lado y una de Jean Arp hacia el otro. A este respecto, escribe Kiesler: "Una pieza de vidrio-piel, incrustada en el marco de forma invisible, separa los dos espacios acústicamente. Una pintura situada en medio del panel de vidrio bloquea el desplazamien-to libre o la visión a través de él, enfatizando la división espacial".[17]

Los objetos opacos en medio del vidrio hacen más consciente el "ver a través de", la transparencia permite superar la perspectiva plana pero al mismo tiempo enfatiza la existencia de ese primer plano. Es el efecto similar al que producen los objetos pintados en el *Gran Vidrio*, que es una pieza que no puede entenderse sin el fondo sobre el que se sitúa. En la *Boîte-en-Valise*, el museo portable que Duchamp construye en forma de maleta con reproducciones miniaturiza-das de sus obras, el *Gran Vidrio* era la pieza principal. Una de las opciones que barajó para la reproducción de esta pieza fue la de la fotografía realizada por Man Ray en la *Exposición Internacional* de Brooklyn. A través del *Gran Vidrio* se pueden observar pinturas de Léger y Mondrian, que no habían sido colocadas arbitrariamente sino siguiendo indicaciones de Duchamp. Este no intenta eliminarlas de la fotografía, sino que realiza varias pruebas difuminando más o menos su presencia. Todas las imágenes sobre las que Duchamp tenía un control directo lo representan siempre con lo que se ve a través de él. El tríptico que Kiesler publica sobre Duchamp sentado en su estudio de la calle 14 Oeste, donde estaba trabajando en secreto sobre los planos de *Étant Donnés* (*Hieronymus Duchamp*), superpone una imagen del *Gran Vidrio* que enmarca la figura de Duchamp sentado en el escritorio. Su colocación definitiva en el Museo de Filadelfia no deja lugar a dudas de su valor extensivo al espacio cuando Duchamp lo ubica frente a una puerta que da acceso a la terraza Este desde la que se puede contemplar la escultura de María Martins. La puerta de la terraza era opaca en un primer momento y en los años setenta, Anne d'Harnoncourt decidió cambiarla por una de vidrio transparente reforzando la significación simbólica dada por Duchamp al hecho de ver a través del *Gran Vidrio* la escultura de Martins. Dejando a un lado el componente simbólico, la pieza se comporta como una máquina óptica, cuya contemplación no se reduce a un primer plano, sino que se expande al fondo.

En *First Papers of Surrealism*, el laberinto de cuerda puede responder, detrás de esa apariencia azarosa, a un planteamiento enfocado a la construcción de una membrana transparente pero con una presencia marcada que dirige la ubicación del espectador con respecto a la pieza y transforma la perspectiva plana de la contemplación directa de una pintura en una perspectiva en varios planos o en *partículas*. En una entrevista con la familia Janis, realizada en 1953, Duchamp apoya esta hipótesis. Preguntado sobre el significado de la cuerda afirma: "No era nada. Tú siempre puedes ver a través de una ventana, a través de una cortina, gruesa o no, tú puedes ver siempre si quieres, algo allí".[18]

Ninguna pintura de las expuestas podía verse sin una barrera de cuerdas cruzando por delante, lo cual supuso la queja de algunos autores. La barrera que la cuerda suponía para el movimiento y el acercamiento arbitrario a las piezas entronca con la lectura que Gloria Moure hace de las propuestas duchampianas. Afirma que sus obras se basan en "la relación del individuo con una realidad

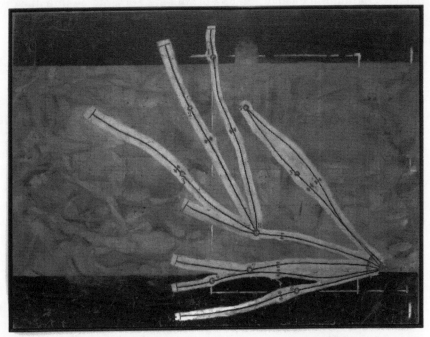

17a. *Red de Zurcidos*.

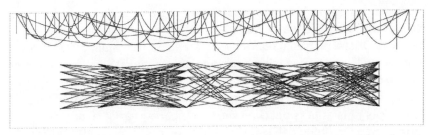

17b. Alzado de *First Papers*.

inalcanzable" en la que "la obra se generará por el deseo" y en el que el "coeficiente de arte" de una propuesta aumenta cuanta mayor distancia existe entre "lo deseado y lo conseguido".[19]

Por otra parte, al separar al espectador de las obras, marca unas determinadas posiciones para la contemplación de las piezas, estrategia que radicaliza en *Étant Donnés* fijando el punto de visión exacto y único desde el que mirar.

El espacio informe

En el tríptico de Kiesler sobre Duchamp se reproduce una imagen en gran tamaño de la sala de *First Papers* con la cuerda en primer plano en la contraportada. En esta misma página se puede ver el cuadro de Duchamp *Red de zurcidos* del 191420, colocado en vertical. Desplegando una parte recortada en la portada, se reproduce la textura de las líneas de una mano y las grietas del *Gran Vidrio*. Anterior a *Red de zurcidos* es *Tres patrones de zurcido* que, según el propio Duchamp, es su obra más importante. Dentro de su puesta en cuestión de las convenciones establecidas, utiliza tres hilos de 1 metro de longitud y los deja caer libremente sobre unas bases de madera. Obtiene tres nuevas referencias de medición fruto de la experiencia y el azar. Tomando estas referencias como nuevas convenciones, desarrolla la *Red de zurcidos*. Curiosamente, Kiesler era el propietario de la pieza después de habérsela comprado a Joseph Stella en mayo de 1937.

Las grietas del *Gran Vidrio* se producen en el traslado de este desde Nueva York hasta la casa de Katherine Dreier en el West Redding Connecticut. Duchamp trabaja durante el verano de 1936 fijando el vidrio, manteniendo las grietas e incorporándolas a la pieza. Según su autor, no estaba finalizada hasta este momento, en el que se introduce esta rotura por azar. Tanto la cuerda usada en *First Papers* como los hilos de *Trois Stoppages* y las grietas del *Gran Vidrio* comparten varios aspectos: la forma como resultado del azar y la puesta en cuestión de lo mesurable.

El montaje de *First Papers* se llama *Dieciséis millas de cuerda* pero en realidad, sólo fue necesaria una milla para cubrir toda la habitación. La confusión con las medidas no es, en ningún caso, arbitraria. En París, en 1938, ya había usado el mismo recurso con los sacos de carbón. La instalación se denominó *1200 sacos de carbón* pero no se habrán colocado más de 100 sacos. Una conocida anécdota apoya esta idea. Cuando Jackson Pollock pintó un mural para el apartamento de Peggy Guggenheim lo hizo sobre una base en su taller. Al tratar de instalarlo en la pared, se dieron cuenta de que era demasiado largo y no cabía. Cuenta David Hare que pidieron consejo a Duchamp y este les sugirió cortar 8 pulgadas de un lado. Las dimensiones y los límites no son relevantes en la obra. La relación entre la pintura de los abstractos americanos y la instalación de *Dieciséis millas de cuerda* no es únicamente formal. Comparten el azar del trazo, la falta de límites, la ruptura con las convenciones de horizontalidad, verticalidad, etc.

Uno de los precedentes claros de la instalación de *First Papers* es el *ready-made* construido en la habitación que Duchamp ocupó durante su estancia en Buenos Aires en 1918. Esta instalación estaba formada por tiras de caucho de colores dispuestas de forma aleatoria. Duchamp la explica así: "Eso ocupaba, naturalmente, toda una habitación... así pues, cuando se entraba en la misma, no se podía circular puesto que los cordeles impedían hacerlo. Podía variarse la longitud de los cordeles, la forma era *ad libitum*, eso era lo que me interesaba".[20]

El juego azaroso forma parte de las propuestas de Duchamp. La película de Maya Deren alude precisamente en el título, *Witch's Cradle*, al juego de *cat's cradle*, que consiste en hacer figuras con cuerda sujeta entre las manos. En su película, el propio Duchamp juega entre sus manos con la cuerda que después se cruza en el espacio, la misma que construye el vacío en *First Papers*.

El espacio táctil

En las propuestas de Duchamp existe un rechazo implícito a lo retiniano, en favor de una interpretación intelectual. Sin embargo, a pesar de que en los montajes expositivos trata de crear un ambiente de activación de otros sentidos como el oído o el olfato, la vista es siempre el receptor principal de estímulos, incluso los táctiles.

En *Hieronymus Duchamp*, en la primera página aparece la reproducción de la palma de la mano derecha del artista, y en medio de esta, en un papel superpuesto se mezclan las grietas del *Gran Vidrio* con las líneas de su mano. En el *Almanac* de *VVV* de 1943, Kiesler y Duchamp hacen un juego participativo en el que piden a los lectores que les envíen por escrito sus sensaciones al tocar una malla metálica que se adjunta en la contraportada de la revista, del mismo modo que lo hace la hija de Peggy Guggenheim en una fotografía que acompaña las instrucciones. La contraportada del *Almanac* reproducía una pieza de Marcel Duchamp de ese mismo año llamada *La fourchette du cavalier* en la que un torso de mujer estaba recortado en el cuadro permitiendo ver la malla metálica que había detrás. Al hacer tocar a los lectores la malla, en realidad, estaban tocando un cuerpo femenino.

Años más tarde, en 1947, para la exposición surrealista de París, Duchamp y Donati trabajan en el catálogo en cuya portada se reproducía en volumen un pecho femenino. El título del catálogo era: *Prière de toucher* (*Se ruega tocar*).

En *First Papers of Surrealism*, la cuerda también posee una cualidad táctil en la conformación del espacio o, al menos, una *tactilidad* apreciable a través de la visión. La obsesión del autor por mostrar el espacio vacío cruzado por la cuerda, mostrando sus cualidades materiales, le lleva a retirar los trozos de papel que Alexander Calder había colgado por todos lados aludiendo al título de la exposición. El vacío se hace tocable.

El espacio del acontecimiento

La presencia del espectador en el espacio de las exposiciones surrealistas de Duchamp no se corresponde con la de simple observador. Su participación no sólo se limita a la aportación creativa en la percepción de la obra sino que, de forma explícita, se busca la interacción en lo que hoy podría llamarse, en términos actuales, *performance* o *situación*.

En la *Exposición Surrealista* de París de 1938 el espectador alcanza un protagonismo indiscutible en la activación del espacio como lugar de participación. En el pasillo de los 16 maniquíes que habían sido tratados cada uno por un artista como una obra *site specific*, los visitantes se veían forzados a caminar por el corredor con la presencia de todos estos cuerpos en fila. La interacción con ellos puede observarse en fotografías de la época. Los maniquíes eran cuerpos a escala real y estaban colocados de manera que el espectador podía aproximarse y situarse a su mismo nivel, facilitando la relación. La sala central integraba al espectador en una atmósfera frente a la que no podía permanecer impasible.

El día de la inauguración, Salvador Dalí contrató a la bailarina Helene Vanel para representar *L'acte manqué* en la sala principal, acompañada por las risas histéricas de pacientes de un psiquiátrico. Las fotografías que se conservan de su actuación muestran a la bailarina moviéndose por toda la sala, por encima de las camas, acercándose al brasero central y sobre todo, interaccionando con los espectadores, muchos de ellos los propios artistas que exponían, y transformando el espacio expositivo en una verdadera escenografía. Es significativo que en la mayor parte de las fotografías de esta exposición aparecen continuamente espectadores.

La inauguración de *First Papers*, a la que Duchamp no asistió, como en París, no quedó exenta de acción. No se conservan fotografías de este acontecimiento colectivo, por lo que no tenemos constancia de la interacción de los visitantes con la cuerda-barrera que les impedía acercarse libremente a las obras, pero habría sido muy interesante ver las situaciones creadas. En la invitación al evento se decía que en la sala habría un "olor a cedro". A estos elementos, se suma el juego al fútbol de unos niños en la sala. Uno de ellos era Carroll Janis que cuando le llamaron la atención respondió: "El señor Duchamp nos dijo que podíamos jugar aquí".[21]

Los montajes de estas salas de exposición llevan implícita la voluntad de generar la interacción con el espectador. El brasero como único punto de iluminación en la sala de París, que aglutina a los visitantes a su alrededor, o la desconcertante cuerda que impide el libre acercamiento a las obras en Nueva York invitan a la actuación del visitante. Su propia experiencia es la esencia material del espacio efímero.

NOTAS

[1] KIESLER, F, "Ausstellungssystem. Leger und trager", en *De Stijl*, n 10/11, 1924-25.

[2] ART OF THIS CENTURY (Galería), Nota de prensa. Fundación Kiesler en Viena.

[3] KACHUR, L, *Displaying the Marvelous. Marcel Duchamp, Salvador Dalí, and Surrealist Exhibition Installations*.

[4] ALTSHULER, B (ed.), *Salon to Biennial - Exhibitions That Made Art History, Volume I: 1863-1959*.

[5] CREIGHTON, T, "Kiesler's pursuit an idea", en: *Progressive Architecture*, vol. 42, n 7, July 1961.

[6] KIESLER, *Notes on Architecture. The Space-House. Annotations at Random*, Hound&Horn, March, 1934.

[7] MARÍ, B, "Frederick Kiesler. Una introducción a la ruptura", publicado en: AA.VV., *Frederick Kiesler 1890-1965. En el interior de la Endless House*.

[8] AA.VV., *a-show. Architecture in Austria in the 20th&21st Centuries*.

[9] KRUFT, H-W, *Historia de la teoría de la arquitectura*, Vol 2: *Desde el siglo XIX hasta nuestros días*.

[10] KIESLER, F, "La arquitectura mágica de la salle des superstitions", original en: *Prière de toucher*, París, 1947.

[11] ART OF THIS CENTURY (Galería), *Press Release pertaining to the Architectural Aspects of the Gallery*, texto mecanografiado, 1942, Fundación Kiesler en Viena.

[12] KIESLER, F, *Note on designing the gallery, texto mecanografiado*, 1942, Fundación Kiesler en Viena.

[13] TAYLOR, M., *Marcel Duchamp. Étant Donnés*.

[14] KIESLER, F, "On Correalism and Biothecnique. Definition and a new approach to building design", en: *Architectural Review*, 1939.

[15] DON QUAINTANCE, "Modern Art in a Modern Setting. Frederick Kiesler's Design of Art of This Century", publicado en DAVIDSON; RYLANDS, *Peggy Guggenheim & Frederick Kiesler. The history of Art of This Century*.

[16] HARALAMBIDOU, P, *Marcel Duchamp and the Architecture of Desire.*

[17] KIESLER, F, "Design-correlation as an approach to architectural planning", en: *VVV*, 213, March 1943.

[18] VICK, J, *A new look: Marcel Duchamp, his twine, and the 1942 First Papers of Surrealism Exhibition.*

[19] MOURE, G, *Marcel Duchamp. Obras, escritos, entrevistas.*

[20] DUCHAMP, M, "Entrevista con J. J. Sweeney", en: MOURE.

[21] TAYLOR.

VIGENCIA CONTEMPORÁNEA

Arte y Arquitectura

Una breve selección de ejemplos de proyectos artísticos y arquitectónicos de los últimos años, permite hacer una lectura sobre la
vigencia actual de algunas de las aportaciones de las Vanguardias
al entendimiento y creación de nuevos conceptos sobre el espacio.
Estos proyectos conservan el carácter experimental de esos años
de furor creativo y surgen, de nuevo, en un ámbito disciplinar donde
los límites se difuminan.

El artista Olafur Eliasson hace del espacio arquitectónico materia
de trabajo en sus proyectos. En su estudio en Berlín, maquetas
arquitectónicas se mezclan con artefactos que actúan sobre la percepción espacial. Eliasson experimenta con las implicaciones psicológicas de la forma y el color en el espacio y juega con la idea de
tiempo en un enfoque muy próximo al de las Vanguardias. Integra
en sus propuestas la fuerza y singularidad de los fenómenos meteo-
rológicos y bajo todas ellas subyace la preocupación por cuestiones
medioambientales.

En la conocida instalación *The Weather Project*, realizada para la Sala
de Turbinas de la Tate Modern en Londres, en el año 2003, dentro
de la programación de las Unilever Series, transforma la sala en un
espacio completamente diferente: lo oscurece totalmente y concentra la iluminación en un medio sol de bombillas incandescentes
situado en la parte superior de la pared del fondo, dobla esta figura
y la altura total de la sala mediante una ilusión óptica creada por la
colocación de un espejo que cubre todo el techo y, a su vez, llena
el vacío con una neblina artificial. La transformación del espacio
de la Sala de Turbinas es impresionante. Los elementos a los que
Eliasson recurre son objetos que se superponen al espacio existente
conformando una nueva entidad. El autor procura, sin embargo, que
su intervención pueda ser leída como una unidad independiente,
mostrando los *trucos* aplicados sobre la arquitectura existente. Las
bombillas que conforman el medio sol están colocadas sobre una
estructura metálica separada de la pared y que permite ver los mecanismos de conexión. La neblina que se forma parte de unas máquinas cuyo funcionamiento puede oírse en la sala como un zumbido

mecánico que permite identificar la humedad del ambiente como un elemento artificial. Este afán por desvelar los recursos superpuestos a la arquitectura responde a la idea que Eliasson describe como la *mediación*. Cuando un espectador percibe la sensación que la sala le proporciona, puede entender qué elementos la están generando, es decir, que están mediando entre él y su experiencia. Puede ser consciente también, por tanto, del espacio que existía anteriormente. En el *Gabinete de los Abstractos* de El Lissitzky, el espejo permite entender el juego de cambio de color de los listones con el desplazamiento en el espacio, haciendo partícipe al espectador de la estrategia que provoca la ilusión óptica del movimiento.

Vito Acconci (EEUU, 1940) comienza su trabajo artístico con performances, poemas o piezas escultóricas, pero siempre muy vinculado al espacio. En los últimos años esta relación se ha estrechado hasta el punto de haber fundado un estudio arquitectura.

La *Isla Mur* (*Murinsel*) (2003) es un espacio construido en el cauce del río Mur a su paso por la ciudad austríaca de Graz, en el que resulta difícil determinar qué aspectos pertenecen al mundo del arte y cuáles al de la arquitectura. Se trata de un edificio con un anfiteatro y una cafetería en el que los recorridos de acceso atan el volumen a las orillas. Su juego volumétrico entre escultura y arquitectura y el protagonismo de los procesos de ocupación que se producen en su interior son los recursos que finalmente definen este espacio. Del mismo modo que los Movimientos de Vanguardia buscaban la síntesis en el espacio, en este caso, parece que la arquitectura ha logrado integrar aspectos provenientes de la experiencia artística y hacerlos suyos.

La idea arquitectónica en la exposición

Las exposiciones de arquitectura o construcción han actuado, y lo siguen haciendo, como lugares de oportunidad para el desarrollo de nuevas propuestas constructivas, para la muestra de materiales, etc. Sin embargo, el espacio del arte también permite mostrar o incluso generar nuevos conceptos espaciales y experimentar con la presencia del espectador.

Gran parte del trabajo del arquitecto Philippe Rahm (Suiza, 1967) se desarrolla en el espacio de exposición, en el que propone ideas arquitectónicas. Un ejemplo de esto es la instalación *Météorologie d'interieur*, construida para el Centro de Arquitectura de Canadá en el año 2007. Rahm propone un espacio lleno de luminarias que emiten calor situadas de forma irregular en la sala y sensores que miden estas emisiones. El propósito es el de mostrar un nuevo concepto de espacio interior en el que el acondicionamiento término no tiene por qué ser uniforme, sino que dependiendo del uso de cada zona, esta puede estar sometida a una mayor o menor temperatura. Esto supondría un ahorro energético considerable en edificación residencial. El propio autor califica en su momento la propuesta de futurista, sin embargo, dos años más tarde, desarrolla un proyecto para un bloque de apartamentos en el que el estudio del comportamiento del calor por convección en el espacio determina el desarrollo completo de la propuesta y su innovadora solución formal. Un concepto testado en el espacio expositivo pasa a ser motor del proyecto arquitectónico.

Secuencias

La arquitectura actual incorpora nuevas maneras de percibir el espacio experimentando con recursos que proceden de otros medios como la fotografía, el cine o lo digital.

En la Fundación Vedova en Venecia, Renzo Piano (Italia, 1937) transforma el estudio del pintor Emilio Vedova en espacio de exposición de sus obras. Con una intervención que apenas interfiere con la arquitectura existente, transforma el espacio de forma radical. Piano propone una *máquina leonardesca* que cuelga las pinturas de un carril anclado al techo. Los cuadros van avanzando a un ritmo constante y pasan por delante del espectador que, a su vez, puede estar estático o en movimiento en la sala. El mecanismo va almacenando las piezas al final de su recorrido. Los vínculos con la obra de El Lissitzky, sobre todo con el *Gabinete de los Abstractos*, son muy claros: el movimiento, el recurso a elementos mecánicos que pueden verse en la sala, el propio ruido del mecanismo de desplazamiento que en la sala del arquitecto ruso también se escucha con el accionamiento de los paneles, el planteamiento del almacenamiento de la obra pero con un control estricto del número de pinturas que se van mostrando cada vez, etc. Es, sin embargo, en la propia concepción del espacio donde la identificación es evidente: percibimos a través de imágenes en movimiento y toda la sala se convierte en una máquina que activa el espacio y al espectador.

La *Slow House* de Diller & Scofidio, un proyecto del año 1990, basa su desarrollo espacial en lo que ellos denominan la *arquitectura óptica*. El proyecto no se llevó a cabo en su totalidad. La vivienda está situada en Long Island, próxima a la ciudad de Nueva York, con unas amplias vistas hacia el mar. El recorrido desde la entrada hasta una amplia ventana que enfoca el paisaje al fondo, determina la forma de cono del edificio. El desarrollo del cono desde la entrada hasta la gran pantalla de vistas se va secuenciando con otros paneles de vidrio que, en perpendicular a su directriz, van marcando las distintas secciones a modo de lo que podríamos hacer equivalente a los *intervalos* del montaje cinematográfico de Vertov. Al fondo, una cámara graba la misma vista que el usuario tiene a través de la ventana y la muestra en paralelo a esta en una pequeña pantalla en la que se puede regular el tiempo diferido de representación, convirtiendo esta propuesta en un verdadero manifiesto de la percepción secuenciada.

Espacio-luz

La creación de espacio arquitectónico a partir de la luz es un recurso que Olafur Eliasson domina en sus propuestas de transformación de las salas museísticas. En su proyecto *360° Room for all colours* experimenta con los cambios de color en el espacio y es la luz la que le da forma. Eliasson cita las experiencias cinematográficas de

Hans Richter de los años 20 como una referencia en sus proyectos. Eliasson atribuye al color cualidades psicológicas.

En *Inverted Berlin Sphere*, del año 2005, introduce un objeto en el espacio, una esfera con luz interior que, al encenderse, proyecta las formas de su envolvente en las paredes de la sala y cambia por completo el espacio. La esfera, construida en ocasiones como una membrana metálica con una luz interna y en otras con trozos de vidrio que reflejan la luz, está colgada del techo en un punto, lo que hace que se balancee ligeramente. Esto origina cambios en los reflejos de la pieza y en sus efectos en las superficies de la sala que la contiene. En este caso, la esfera actúa como una pieza equivalente al *Modulador de Espacio-luz* de Moholy-Nagy.

También la arquitectura contemporánea incorpora la luz de color como materia de proyecto para cualificar un espacio. Por ejemplo, el salón de actos del Palacio de Congresos de Villanueva de la Serena (2014), obra del estudio Pancorbo Arquitectos, se ve inmerso en una atmósfera de color producida por la iluminación led tras unos paneles transparentes en muros y techo que transforma sustancialmente su atmósfera arquitectónica. El color invade el espacio y lo singulariza.

Arquitectura y psicología

La *Endless House* de Kiesler no fue construida pero es indudable su influencia en la arquitectura contemporánea. La Fundación Lillian y Frederick Kiesler de Viena, además de atesorar el legado del arquitecto, realiza una labor muy activa en la puesta en valor de la influencia de su trabajo en propuestas contemporáneas. Por una parte, facilita el acceso a la documentación original de su archivo a personal investigador y por otra, organiza regularmente eventos en su sala de exposiciones con propuestas contemporáneas. Su trabajo no se reduce a la protección y difusión de la obra de Kiesler, sino que ponen en valor su vigencia en la actualidad otorgando el Premio Kiesler para la Arquitectura y las Artes a autores que han incorporado sus aportaciones en su trabajo. Este reconocimiento tiene carácter bianual y lo han recibido hasta el momento: Frank Gehry (1998), Judith Barry (2000), Cedric Price (2002), Asymptote (2004), Olafur Eliasson (2006), Toyo Ito (2008), Heimo Zobernig (2010), Andrea Zittel (2012) y Bruce Naumann (2014).

En los años 60, Viena es la cuna de un movimiento artístico revolucionario en contra de la racionalidad y los convencionalismos, el *Accionismo Vienés*. En el mundo de la arquitectura se desarrolla en paralelo, entre los años 1958-73, lo que Peter Cook ha denominado el *Fenómeno Austríaco*, que busca en la interacción con el público un medio de creación y cuyos autores conocían y admiraban las propuestas de Kiesler. Sus planteamientos se basan en la relación directa entre espacio y usuario, rechazando el funcionalismo como máxima y aludiendo a la percepción psicológica del ambiente, aspecto planteado por Kiesler en la *Vision-Machine*.

En *Mind-Expander I* de 1967, de Haus-Rucker-Co consiste en la construcción de un mecanismo con un asiento para una pareja y una burbuja neumática a modo de casco compartido. Se produce una relación de interacción entre los ocupantes y el espacio generado por la membrana plástica, ya que esta modifica su volumen en función de los latidos del corazón y a la vez, emite estímulos visuales con puntos y líneas de colores que influyen en el comportamiento de los ocupantes. Se produce, por tanto, una relación biunívoca entre ambos agentes, espacio y usuario. La membrana neumática es una segunda piel para el cuerpo humano.

La serie de tres *Communication Accenturaries* del 1969 de Coop Himmelb(l)au pone de manifiesto la influencia de las sensaciones físicas del cuerpo en el proceso de percepción. Se propone la instalación de un complejo mecanismo que produce y transmite imágenes y sonidos a una mujer a través de un casco, a la vez que el chaleco que viste emite pulsaciones en su cuerpo. Esto hace que los estímulos visuales y auditivos se vean interferidos por las sensaciones producidas por las pulsaciones en la parte superior del cuerpo. La percepción del espacio no es, por tanto, independiente de la posición de nuestro cuerpo o de la reacción a los estímulos que recibe del ambiente.

La propuesta de Vito Acconci para el espacio expositivo de la Galería Schachter en Nueva York en el año 2002 es una referencia formal a las propuestas de Kiesler. Propone una membrana que llena por completo el espacio convencional de la galería y dentro de esta, dispone un montaje expositivo flexible que permite múltiples posibilidades de colocación de las obras independientes de la pared y de la propia envolvente. Esta piel que da forma al espacio interior, como en los proyectos de Kiesler en *Art of This Century* y en la *Sala de las Supersticiones*, se acompaña de las piezas de montaje que son una reelaboración de las diseñadas por Kiesler para la *Exposición Internacional del Teatro* de Viena de 1924 y que dio inicio al *endless space* en el espacio expositivo.

Sin un vínculo directo con la obra de Kiesler, pero utilizando la sugestión del espectador como recurso arquitectónico, Álvaro Siza propone un *Museo para dos Picasso* en el Parque Oeste de Madrid en el año 1992. Siza plantea que el *Guernica* no puede verse del modo en que está expuesto en el Palacio de Cristal y que necesita un lugar específico para su ubicación. Propone un edificio con una relación muy directa con el paisaje y la naturaleza, usando las vistas para generar un recorrido preparatorio para la contemplación del cuadro. El proyecto consta de dos galerías a través de las que se establece un recorrido de descubrimiento hacia el *Guernica* con espacios a distintas alturas, tabiques quebrados que no permiten una vista directa del cuadro, etc., hasta que se llega al fondo de la galería. La contemplación de la pintura se produce sin interferencias, con una luz cenital que posibilita su aislamiento del exterior, pero tras el escenario de horror que se muestra, Siza dirige al espectador en su recorrido hacia una amplia ventana del mismo tamaño que la obra de arte y que enmarca la amplitud y libertad del paisaje exterior. Para contrarrestar el efecto de destrucción y pesimismo del *Guernica*, Siza propone la ubicación de otra pieza de Picasso en la otra galería, a la que se puede acceder a continuación, una escultura de una *Mujer embarazada* del 1950, abriendo la esperanza a la idea de la vida. Esta manipulación en la percepción del objeto artístico responde a la influencia psicológica del espacio en el espectador, más allá de la mera funcionalidad teorizada en el Movimiento Moderno.

Lo efímero

New Babylon (1956-76) de Constant Nieuwenhuys ejemplifica mejor que ninguna otra propuesta del siglo pasado la idea de la construcción del espacio basada en la generación de un juego de acontecimientos. Incluso la propia materialización del proyecto comparte muchos de las cualidades que explican la arquitectura efímera: elementos ligeros, fácilmente cambiantes, estructuras en tensión e independientes de lo existente, etc. Arquitecturas como las de Archigram o Cedric Price se vieron directamente influenciadas por la atracción de las maquetas de New Babylon.

Más recientemente, Diller & Scofidio aluden a Marcel Duchamp como una de las influencias más importantes en su obra. En el montaje expositivo de *Action Painting* (2008), realizado para la Fundación suiza Beyeler sobre la obra de Jackson Pollock, los arquitectos invierten el sentido convencional de la muestra. Sitúan una pantalla en vertical, suspendida en el espacio y otras en horizontal, en el suelo y el techo. En estas últimas, se proyectan imágenes de Pollock pintando el cuadro sobre el suelo, tal como lo había producido, pero se cambia el punto de vista del espectador cuando se sitúa esta proyección en el techo, invirtiendo las leyes convencionales como recurso duchampiano para activar el espíritu crítico del espectador con lo percibido.

El *Pabellón Blur*, construido en un lago en Yverdon-les-Bains en Suiza en 2002, se sitúa a nivel conceptual en paralelo a los planteamientos expositivos de Duchamp. Se trata de una estructura ligera tensionada construida con acero y vidrio rechazando cualquier forma tradicional de edificación y de asentamiento. Se sitúa en el propio lago. Cuando el edificio se abre al público, se transforma en una nube, ya que se pulveriza agua que se convierte en neblina e invade todo el espacio. Los espectadores entran en un ambiente en el que se siente la humedad, la consciencia del espacio generado por un elemento efímero e informe. El verdadero interés del pabellón, en el que no se muestra ningún objeto, es la interacción entre los visitantes y de estos con el espacio. Los arquitectos habían planteado un sistema de incentivación de la participación de los

18. *Blur Pavilion.*

espectadores que finalmente no se llevó a cabo. Este consistiría en unos sensores que los visitantes llevarían instalados en sus impermeables, que se activarían en rojo o verde, según la compatibilidad de cada individuo con otro con el que se cruzase. Los datos provendrían de una encuesta personal antes de acceder al pabellón y una gestión informatizada de la información.

La generación del acontecimiento como objetivo y materialización del espacio arquitectónico es un concepto muy recurrente en la producción contemporánea. En una entrevista concedida al diario *El País* en 2011, David Adjaye afirmaba que para él "la arquitectura es una performance" y que su mayor interés radica en "su poder de medidor social, por ser un instrumento que permite que las cosas sucedan".

Explorar los límites hoy

El trabajo de las Vanguardias de principios de siglo muestra una época apasionante, de gran efervescencia cultural, de confianza en el progreso, en la técnica y sobre todo, en la capacidad de proponer nuevos puntos de vista. En este ambiente de creatividad, las exposiciones jugaron un papel importante en la experimentación y la difusión de nuevas ideas. La interacción entre distintas disciplinas artísticas supuso una apuesta en favor de la experimentación con resultados innovadores y que dinamitaron barreras artificiales entre las artes.

Asistimos, en la actualidad en el mundo occidental, a un cambio de paradigma en la arquitectura. La actual crisis económica ha creado una situación que ha puesto punto final a una época de construcción desproporcionada en la que la mayor parte de nuestra profesión entendió como su único campo de actuación. Hoy constatamos lo erróneo de este enfoque que ha fluctuado entre la arquitectura espectáculo y la producción especulativa, y que ha supuesto el desprestigio de la profesión.

La responsabilidad frente a la sociedad pasa por devolver a la arquitectura su papel propositivo en la búsqueda de respuestas acordes a los nuevos tiempos. El avance de la tecnología o los inminentes cambios sociales a través de procesos participativos son aspectos a los que la arquitectura no puede permanecer ajena. Como tampoco debe hacerlo a las posibilidades que aporta la flexibilidad de los límites entre disciplinas donde investigación y proceso creativo van de la mano. La apertura de la arquitectura hacia otras disciplinas, sean estas artísticas, científicas, sociales, etc., es cada vez más evidente y la incorporación de estas nuevas aportaciones al proyecto arquitectónico, un reto al que nos enfrentamos.

Bibliografía

INTRODUCCIÓN

AA.VV., *Arte desde 1900*, Ediciones Akal, Madrid, 2006.

ALTSHULER, Bruce (ed.), *Salon to Biennial - Exhibitions That Made Art History*, *Volume I: 1863-1959*, Phaidon Editors, Londres, 2008.

ALTSHULER, Bruce, *The Avant-Garde in exhibition: New Art in the 20th Century*, Editorial Abrams, Nueva York, 1998.

BARR, Alfred H., *La definición del Arte Moderno*, Alianza Forma, Alizanza Editorial, Madrid, 1989.

KLONK, Charlotte, *Spaces of experience. Art Gallery Interiors from 1800 to 2000*, Yale University Press, New Haven & London, 2009.

MADERUELO, Javier, *La idea de espacio en la Arquitectura y el Arte Contemporáneo*, Ediciones Akal, Madrid, 2008.

McSHINE, Kynaston, *The Museum as Muse. Artists Reflect*, The Museum of Modern Art, Nueva York, 1999.

MOHOLY-NAGY, László, *La nueva visión*, Ediciones Infinito, Buenos Aires, 2008.

MONTANER, Josep Maria, *Museos para el S. XXI*, Editorial Gustavo Gili, Barcelona, 2003.

O'DOHERTY, Brian, *Dentro del cubo blanco. La ideología del espacio expositivo*, Materiales de Museología, CENDEAC, Murcia, 2011.

STANISZEWSKI, Mary Anne, *The power of display: A history of exhibition installations at the Museum of Modern Art*, MIT Press, Nueva York, 2001.

YATES, Steve (ed.), *Poéticas del espacio*, Gustavo Gili, Barcelona, 2002.

I EL ESPACIO COMO SÍNTESIS

AA.VV., *De Stijl 1917-1931*, Centre National d'art et de culture Georges Pompidou, París, 2010.

AA.VV., *De Stijl 1917-1931. Visiones de Utopía*, Alianza Editorial, Madrid, 1986.

AA.VV., *From surface to space. Malevich and early modern art*, Staatliche Kunsthalle Baden-Baden (Baden-Baden), Verlag der Buchhandlung Walther König (Colonia), 2008-9.

AA.VV., *Kurt Schwitters. Works and documents*, Museo Sprengel, Hanover, 1998.

AA.VV., *Rodchenko. Spatial constructions*. Catalogue Raisonnée of Sculptures, Hatje Cantz Publishers, Ostfildern, 2002.

BLOTKAMP, Carel, *Mondrian. The Art of destruction*, Reaktion Books, Londres, 1994.

BOERSMA, Linda S., *0.10 The Last Futurist Exhibition of Painting*, 010 Publishers, Rotterdam, 1994.

BOGNER, Dieter, *Friedrich Kiesler. 1890-1965*, Löcker Verlag, Viena, 1988.

BOSSER, Jaques (ed), Ligeia, *Dossiers sur l'art. Art et espace*. N 73-74-75-76, Paris, 2007.

BRENTJENS, Yvonne, *Piet Zwart. 1885-1977*. Vormingenieur, Haags Gemeentemuseum, La Haya, 2008.

BURNS GAMARD, Elizabeth, *Kurt Schwitters'Merzbau. The Catedral of Erotic Misery*, Princeton Architectural Press, Nueva York, 2000.

DOIG, Allan, *Theo van Doesburg. Painting into architecture, theory into practice*, Cambridge Urban and Architectural Studies, Cambridge University Press, Cambridge, 1986.

EL LISSITZKY, 1929. *La reconstrucción de la arquitectura en la U.R.S.S.*, Colección Arquitectura y crítica, Gustavo Gili, Barcelona, 1970.

EL LISSITZKY; ARP, Hans, *The Isms of Art*, Eugen Rentsch Verlag, Erlenbach-Zürich, München, Leipzig, 1925.

FABRE, Gladys; HÖTTE, Doris W., *Van Doesburg & The International Avant-Garde. Constructing a New World*, Publicaciones Tate, Londres, 2009.

GONZÁLEZ GARCÍA, Ángel; CALVO SERRALLER, Francisco; MARCHÁN FIZ, Simón (ed.), *Escritos de arte de vanguardia 1900/1945*, Ediciones Itsmo, Madrid, 2003.

GUERRERO LÓPEZ, Salvador, *Maestros de la arquitectura moderna en la Residencia de Estudiantes,* Publicaciones de la Residencia de Estudiantes, Madrid, 2010.

KIESLER, Frederick, *Contemporary art applied to the store and its display*, Sir Isaac Pitman & sons, ltd, London, 1930.

LODDER, Christina, *El Constructivismo Ruso,* Alizanza Forma, Alianza Editorial, Madrid, 1988.

MARGOLIN, Victor, *The struggle for Utopia: Rodchenko, Lissitzky, Moholy-Nagy. 1917-1946*, The University of Chicago Press, Chicago, 1997.

MERTINS, Detlef; JENNINGS, Michael W. (ed.), *An Avant-Garde Journal of Art, Architecture, Design and Film. 1923-26*, Getty Research Institute, Los Ángeles, 2010.

MONDRIAN, Piet, *La nueva imagen en la pintura*, Colección de Arquitectura, Colegio Oficial de Aparejadores de Murcia, Murcia, 1993.

NAKOV, Andréi (ed.), *Escritos. Malévich*, Editorial Síntesis, Madrid, 2007.

PERLOFF, Nancy; REED, Brian (ed.), *Situating El Lissitzky. Vitebsk, Berlín, Moscú*, Issues&Debates Getty Research Institute, Los Ángeles, 2003.

STEINITZ, Kate T., *Kurt Schwitters, A portrait from life*, University of California Press, Berkeley, Los Angeles, 1968.

VAN DOESBURG, Theo, *Principios del nuevo arte plástico y otros escritos*, Colección de Arquitectura, Colegio Oficial de Aparejadores y Arquitectos Técnicos de Murcia, Murcia, 1985.

ZEVI, Bruno, *Poética de la Arquitectura Neoplástica,* Editorial Víctor Lerú, Buenos Aires, 1960.

II EL ESPACIO SECUENCIAL

AA.VV., *El arte de la luz. László Moholy-Nagy*, La Fábrica Editorial, Madrid, 2010.

AA.VV., *László Moholy-Nagy. Fotogramas 1922-1943*, Fundació Antoni Tàpies (Barcelona), Museo Nacional Centro de Arte Reina Sofía (Madrid), 1997.

ARNHEIM, Rudolf, *Arte y percepción visual*, Alianza Forma, Alianza Editorial, Madrid, 1984 (5ª ed).

BENJAMIN, Walter, *Obras, Libro I, Vol. 2*, Abada, Madrid, 2006.

CAUMAN, Samuel, *The living museum. Experiences of an art historian and museum director – Alexander Dorner*, New York University Press, Nueva York, 1958.

DORNER, Alexander, *The Way Beyond Art: The Work of Herbert Bayer*, Wittenborn, Schultz, Inc. Nueva York, 1949.

GÄRTNER, HEMKEN, SCHIERZ, ART (edit.), *Kunst Kicht Spiele*. Lichtästhetik der klassischen Avantgarde, Leipzig, 2009.

LISSITZKY-KÜPPERS, Sophie, *El Lissitzky. Life-letters-texts*, Thames and Hudson, Londres, Nueva York, 1967.

MICHELSON, Annete (ed), *Kino-Eye.The Writings of Dziga Vertov*, University of California Press, Berkeley, Los Ángeles, Londres, 1984.

MOHOLY-NAGY, László, *La Nueva Visión*, Biblioteca de diseño, Ediciones Infinito, Quinta edición en español, Buenos Aires, 2008.

MOHOLY-NAGY, László, *Vision in Motion*, Editor P. Theobald, Chicago, 1969.

MOHOLY-NAGY, László, *Von Material zu Architectur*, Florian Kufterberg Verlag, Mainz, 1967.

MOHOLY-NAGY, Sibyl, *Experiment in Totality,* MIT Press, Massachussets,1969.

NAUMANN, Francis M., *Marcel Duchamp. The Art of making art in the age of mechanical reproduction*, Ludion Press, Amsterdam, 1999.

PASSUTH, Krisztina (ed.), *Moholy-Nagy*, Thames and Hudson, Londres, 1985.

RAMÍREZ, Juan Antonio, *El objeto y el aura. [Des]orden visual del arte moderno, Arte Contemporáneo*, Ediciones Akal, Madrid, 2009.

RIBALTA, Jorge (ed), *Espacios fotográficos públicos. Exposiciones de propaganda, de Pressa a The Family of Man, 1928-1955,* Museu d'Art Contemporari de Barcelona, 2008.

STEINITZ, Kate T., *Das Gästebuch von Kate T. Steinitz (The Guestbook of Kate T. Steinitz)*, Galerie Gmurzynska, Colonia, 1977.

TUPYTSIN, Margarita (ed.), *El Lissitzky. Beyond the Abstract Cabinet*, Yale University Press, New Haven, London, 1999.

VERTOV, Dziga, *Memorias de un cineasta bolchevique*, Capintán Swing Libros, SL, Madrid, 2011.

III EL ESPACIO CONTINUO

AA.VV., *Friedrich Kiesler: Art of This Century*, Hatje Cantz, Viena-Frankfurt, 2002.

AA.VV., *Frederick J. Kiesler. Endless space,* Hatje Cantz Publishers, Viena, 2001.

AA.VV., *Vision Machine*, Musée des Beaux-Arts de Nantes, Somogy. Éditions d'Art, Nantes, 2000.

BOGNER, Dieter; RIBAS, Joao (ed.), *Frederick Kiesler. Co-realities,* Drawing Papers, Nueva York, 2008.

BOHAN, Ruth L., *The Société Anonyme's Brooklyn Exhibition. Katherine Dreier and Modernism in America*, UMI Research Press, Ann Arbor, Michigan, 1982.

CREIGHTON, Thomas, "Kiesler's pursuit an idea", en: *Progressive Architecture*, vol. 42, n 7, July 1961, Nueva York.

DAVIDSON, Susan; RYLANDS, Philip (ed.), *Peggy Guggenheim & Frederick Kiesler. The Story of Art of This Century*, Guggenheim Museum Publications (Nueva York), Peggy Guggenheim Collection (Venecia), Fundación Kiesler (Viena), 2004.

DUCHAMP, Marcel, *Notas*, Colección Metrópolis, Edición Tecnos, Grupo Anaya, Madrid, 2009.

HARALAMBIDOU, Penelope, *Marcel Duchamp and the Architecture of Design*, Ashgate, Londres, 2013

HENDERSON, Linda D, *Duchamp in Context*, Science and Technology in the Large Glass and Related Works, Princeton University Press, Princeton, New Jersey, 1998.

KACHUR, Lewis, *Displaying the Marvelous. Marcel Duchamp, Salvador Dalí, and Surrealist Exhibition Installations*, The MIT Press, Massachusetts Institute of Technology, 2001.

MOURE, Gloria, *Marcel Duchamp. Obras, escritos, entrevistas*, Ediciones Polígrafa, Barcelona, 2009.

NAUMANN, Francis M.; OBALK, Hector, Affect Marcel. *The Selected Correspondence of Marcel Duchamp*, Thames & Hudson, Londres, 2000.

RISSELADA, Max (ed.), *Raumplan versus Plan libre. Adolf Loos / Le Corbusier*, 010 Publishers, Rotterdam, 2008.

SANOUILLET, Michel; PETERSON, Elmer (ed.), *The Writings of Marcel Duchamp*, Da Capo Press, Massachusetts, 2010.

TAYLOR, Michael R., MARCEL DUCHAMP. *Étant Donnés*, Philadelphia Museum of Art (Filadelfia), Yale University Press (New Haven y Londres), 2009.

TOMKINS, Calvin, *Duchamp*, Editorial Anagrama, Barcelona, 1996.

YEHUDA, Safran (ed.), *Frederick Kiesler (1890-1965)*, Architectural Association Publications, Londres, 1989.

Procedencia de las imágenes